KU-176-316

LES PHILOSOPHES MODERNES

BERTRAND VERGELY

LES ESSENTIELS MILAN

Sommaire

Quel point fixe ?

Être moderne — 4-5
Les trois axes de la modernité — 6-7
Du monde clos à l'univers infini — 8-9

Du sujet au point de vue

Descartes et le *cogito* — 10-11
Spinoza et l'Éthique — 12-13
Leibniz et la notion de point de vue — 14-15
Pascal et la condition humaine — 16-17

Vive la liberté !

Machiavel et la politique moderne — 18-19
Hobbes et l'État — 20-21
Rousseau et le contrat social — 22-23
Kant et la révolution — 24-25
Hegel et la force des choses — 26-27

Une culture à la découverte du sens

De l'existence au soupçon — 28-29
Schopenhauer et le vouloir-vivre — 30-31
Kierkegaard et l'existence — 32-33
Marx et la critique du capital — 34-35
Nietzsche et la morale — 36-37
Freud et le moi — 38-39

Un monde face à lui-même

Les Lumières en question — 40-41
Husserl et la crise des sciences européennes — 42-43
Wittgenstein et l'ambiguïté des mots — 44-45
Bergson et la durée — 46-47
Bachelard et le nouvel esprit scientifique — 48-49
Le structuralisme — 50-51
Heidegger et l'oubli de l'être — 52-53
Levinas et le sens du visage — 54-55
Le bel aujourd'hui — 56-57

Approfondir

Glossaire — 58-59
Bibliographie — 60-61
Index — 62-63

Les mots suivis d'un astérisque (*) sont expliqués dans le glossaire.

De Descartes à Heidegger

La philosophie moderne est un grand mouvement de pensée qui, de Descartes à Heidegger en passant par Kant, se caractérise par le désir, non pas de répéter le savoir hérité des penseurs du passé, mais de juger les choses par soi-même d'une façon libre et personnelle afin de connaître le monde et de diriger sa vie.

Du fait de cet aspect personnel et libre, la pensée moderne est rebelle aux préjugés, aux habitudes et au conformisme qui empêchent d'accéder à une sagesse vivante et créatrice. Aussi son parcours est-il jalonné de crises, de combats et même de ruptures. Toutefois, de par ce même aspect personnel et libre, cette pensée est ouverte à l'invention, à l'originalité et à l'avenir. Aussi son cheminement passe-t-il par des découvertes, un dynamisme et une liberté sans précédent.

Le lecteur désireux de pouvoir se repérer dans ce mouvement aussi riche que tendu trouvera dans ce livre, qui n'a pas d'autre objet que d'être une introduction à cette histoire qui est notre histoire, des éléments pour comprendre.

Comment la pensée moderne est née face à la découverte de la relativité des choses ; pourquoi cette découverte a bouleversé la vie politique ; en quoi cela a modifié le rapport à l'existence ; enfin, comment, aujourd'hui encore, le monde qui est le nôtre s'efforce de vivre tous ces bouleversements. Telles sont les grandes lignes de cet « Essentiel Milan ».

Aujourd'hui, en se transformant comme il le fait, le monde moderne pose des questions philosophiques qui font rejaillir des questions de toujours. Qu'est-ce que l'homme ? Quel sens donner à la vie ? Réfléchir sur la modernité est de ce fait une nécessité, car, à travers elle, c'est en définitive de nous et de notre avenir qu'il s'agit.

Avertissement : Du fait de ses exigences, la philosophie moderne est riche et complexe. Afin d'aider le lecteur, cet ouvrage s'est efforcé d'organiser une progression respectant son développement. On ne saurait que trop recommander, pour une première lecture, d'aborder cet ouvrage de façon linéaire.

Être moderne

Comprendre la modernité, c'est avant tout réaliser que celle-ci n'est pas un style mais le fait même d'avoir du style.

Être moderne

Les esprits modernes sont des esprits en quête de nouveauté, car qui dit nouveauté dit création, mouvement, dynamisme, par opposition à tout ce qui est statique, répétitif et figé.

Question de définition

Il est difficile de dire précisément en quoi consiste la modernité car un tel concept n'a cessé de varier et varie encore aujourd'hui. Néanmoins, trois choses semblent la caractériser.

La modernité, c'est d'abord un sens héroïque de la pensée. Elle est aussi une esthétique de la création. Elle est, enfin, une ouverture au mouvement. Explications.

Un sens héroïque de la pensée

La philosophie moderne a commencé au XVIIe siècle avec Descartes (1596-1650), lorsque celui-ci a entrepris de repenser les fondements de la connaissance en jugeant des choses par lui-même, après avoir constaté que son éducation imprégnée par la pensée scolastique* ne conduisait qu'à une pensée peu créatrice se bornant à répéter le savoir acquis. Ce geste de penser résolument par soi-même est un geste moderne par excellence, car, refusant la répétition, les habitudes et le conformisme, il est plein d'audace, de nouveauté et d'originalité.

Il n'est pas facile de penser par soi-même. Cela demande du courage. Il faut oser se confronter à la solitude et quitter le confort des opinions admises. Ceux qui l'ont fait, tel Descartes, ont pris de véritables risques. C'est la raison pour laquelle Hegel (1770-1831) a dit de Descartes qu'il était le héros de la modernité.

QUEL   DU SUJET AU   VIVE

Une esthétique de la création

Dans la modernité, il y a le mot mode. La mode est vue en général comme un phénomène superficiel. L'homme à la mode est celui qui adopte la dernière nouveauté en vogue. La mode est cependant quelque chose de plus profond. Ainsi que l'a montré un grand penseur contemporain, Vladimir Jankélévitch (1903-1985), dans le mot mode on trouve l'idée de manière. La mode qui est la modalité de quelque chose est la manière d'être d'une chose, c'est-à-dire la façon que celle-ci possède de se manifester et d'apparaître. Sans manière d'être, l'être d'une chose n'est rien. De ce fait, il existe une profondeur du paraître. Charles Baudelaire (1821-1867) l'a compris. C'est la raison pour laquelle le monde du sensible et du paraître l'a passionné. Après lui, toute la modernité a exploré le monde du paraître, de la surface et des corps. Car c'est là que l'on voit affleurer le mystère de la création qui est venue à la surface de la profondeur. Paul Valéry (1871-1945) a bien résumé ce trait moderne en écrivant : « *Ce qu'il y a de plus profond en moi, c'est ma peau.* » Créer c'est produire, c'est-à-dire faire venir au grand jour et faire remonter à la surface ce qui était caché. Le monde moderne va célébrer les surfaces, l'espace, la lumière.

Une ouverture au mouvement

Quand on pense à la modernité enfin, il est difficile de ne pas évoquer le mouvement. Être moderne, c'est être dynamique, en mouvement, ouvert et non figé voire statique ou encore replié sur soi. Cette attitude est liée à la liberté. Elle est surtout un effet de l'idée de création. Car toute création implique un renouvellement. Donc un mouvement. De ce fait, pour qui sait voir, le mouvement qui désordonne les choses est aussi ce qui les dynamise.

La vie commence dans le tumulte des choses, comme elle commence dans leurs surfaces, là où tout vient au grand jour. Le génie de la modernité est de nous le faire comprendre. En ce sens, être moderne ce n'est pas autre chose que d'avoir un sens aigu de la vie grâce à la vivacité d'un regard porté sur celle-ci. Ce qui est très simple et très complexe à la fois.

« Ô Mort, vieux
  capitaine, il est temps !
  levons l'ancre !

Ce pays nous ennuie,
  ô Mort ! Appareillons !

Si le ciel et la mer sont
  noirs comme de l'encre,

Nos cœurs que tu connais
  sont remplis de rayons !

Verse-nous ton poison
  pour qu'il nous
  réconforte !

Nous voulons, tant ce feu
  nous brûle le cerveau,

Plonger au fond du gouffre,
  Enfer ou Ciel,
  qu'importe ?

Au fond de l'inconnu,
  pour trouver
  du nouveau ! »

Baudelaire,
Les Fleurs du mal.

La modernité se caractérise par un sens héroïque de la pensée, une esthétique de la création ainsi qu'une ouverture au mouvement.

CULTURE   MONDE   APPROFONDIR

Les trois axes de la modernité

**Pour comprendre la modernité,
il est important de ne pas perdre de vue
quelques points fondamentaux
de son histoire.**

Les trois événements de la modernité

L'homme, la raison et la liberté qui caractérisent l'esprit de la modernité sont apparus peu à peu dans l'histoire à la suite de grandes mutations.

L'homme

Le propre de la pensée antique a consisté très globalement à envisager la nature comme un *cosmos*, c'est-à-dire comme un ordre créé par les dieux. D'où, dans cette pensée, une attitude contemplative face au monde, envisagé comme une œuvre d'art parfaite à laquelle il était inutile d'ajouter quoi que ce soit. Avec l'apparition du monde moderne, cette conception va changer. Durant la seconde moitié du Moyen Âge (du Xe au XVe siècle) d'abord, période de gestation de la modernité, la révélation chrétienne va briser le caractère divin de la nature en enseignant que la perfection se trouve au-delà de celle-ci, en Dieu. Le monde prend de ce fait l'allure d'une réalité non plus faite mais à faire. Il importe de le transformer et non plus de le contempler. Avec la Renaissance (XVe-XVIe siècle) et l'apparition du protestantisme cette ouverture à l'action se précise. Réagissant

« *Avec la Révolution française, la pensée et le concept du droit se sont faits tout d'un coup valoir et le vieil édifice d'iniquité présent dans la société n'a pu lui résister. On a construit de ce fait une constitution dans la pensée du droit, tout devant désormais reposer sur cette base. Depuis que le soleil se trouve au firmament et que les planètes tournent autour de lui, on n'avait jamais vu ainsi l'homme se placer la tête en bas, c'est-à-dire se fonder sur l'idée et fonder ainsi la réalité. Anaxagore a dit, le premier, que l'Intelligence (nous en grec) gouverne le monde ; c'est aujourd'hui que l'homme est parvenu à reconnaître que la pensée doit régir la réalité. La Révolution française a été un superbe lever de soleil. Tous les êtres pensants ont célébré cet événement. Une émotion sublime a régné en ce temps-là, l'enthousiasme de l'esprit a fait frissonner le monde, comme si à ce moment-là on était arrivé à la réconciliation du divin avec le monde.* » Hegel, *La Philosophie de l'histoire*.

contre la décadence de la vie monastique, Luther (1483-1546), fondateur du protestantisme, l'une des trois grandes Églises chrétiennes à côté de l'orthodoxie et du catholicisme, rappelle que la foi passe par la création d'œuvres. L'homme rend grâce à Dieu en exploitant les talents qu'il a reçus de celui-ci. Le travail, l'action, l'initiative humaine deviennent dès lors des valeurs de premier plan. Il faut que l'homme s'engage. C'est son devoir.

La raison

En incitant l'homme à agir, la Renaissance a favorisé l'avènement de la raison moderne. Les Grecs, avec principalement Platon (428-348 av. J.-C.), avaient su montrer au monde que la raison consiste dans un sens du rapport juste à soi et au monde, grâce au sens de la mesure et de la proportion en toutes choses.

Avec René Descartes (1596-1650), au XVIIe siècle, la notion de raison s'approfondit. Cherchant un fondement sûr afin de connaître, Descartes le découvre dans sa conscience. En partant de l'évidence qu'il est pour lui-même et en ramenant tout à cette évidence, l'homme, selon Descartes, est assuré de pouvoir connaître. Car on connaît quand on peut s'assurer personnellement des choses.

La liberté

Après la place faite à l'homme et à la raison, la Renaissance enfin a ouvert la voie à la liberté. La liberté affirmée par la modernité consiste avant tout dans cet élan qui va triompher à travers la Révolution française de 1789 afin de libérer l'humanité de la triple oppression (misère, servitude et ignorance) qui l'empêche d'exercer son droit à pouvoir être elle-même. Mais c'est aussi un travail en profondeur sur l'homme afin d'épanouir ses potentialités et de le faire ainsi accéder à la vérité qui est en lui. Selon Kant (1724-1804) la liberté est si importante que c'est à elle que l'on doit l'apparition de valeurs comme l'homme, la raison et la liberté. Interrogé sur le sens qu'il convient de donner aux Lumières* et à la modernité, il répondra: l'audace. L'audace d'oser penser, d'oser être soi-même, d'oser l'homme.

> La modernité s'est déployée autour de l'apparition des notions d'homme, de raison et de liberté.

Du monde clos à l'univers infini

La découverte de la relativité des choses a profondément influencé la naissance de la pensée moderne.

« Si l'on est trop jeune
on ne juge pas bien,
trop vieux de même.
Si on n'y songe pas assez,
si on y songe trop,
on s'entête et on s'en coiffe.
Si on considère
son ouvrage incontinent
après l'avoir fait on en est
encore tout prévenu,
si trop longtemps après
on n'y rentre plus.
Ainsi les tableaux vus
de trop loin et de trop près.
Et il n'y a qu'un point
indivisible qui soit
le véritable lieu.
Les autres sont trop près,
trop loin, trop haut ou
trop bas. La perspective
l'assigne dans l'art
de la peinture, mais
dans la vérité et la morale,
qui l'assignera ? »
Pascal, *Pensées*.

La découverte de l'Amérique

La modernité se caractérise par une certaine manière d'être, vive et audacieuse. Reste que cette manière ne s'est pas construite en un jour et qu'elle n'est pas née de rien. Pour mieux le comprendre, il importe de revenir aux origines de la modernité. Il convient d'avoir bien présent à l'esprit un événement majeur : toute la modernité n'a jamais été rien d'autre qu'un immense effort afin de tenter de répondre au bouleversement introduit par la découverte de la relativité des choses.

Avant tout, on peut dire que l'aventure moderne a débuté le jour où Christophe Colomb (1451-1506) a découvert l'Amérique, en 1492. Cette année-là, l'Occident a commencé à réaliser avec stupeur qu'il n'était pas seul au monde. Autour de lui, d'autres cultures existaient, aussi structurées et cohérentes que la sienne, quoique fondées sur d'autres principes. Il ne fallait donc pas forcément être occidental et chrétien pour être civilisé.

Que voulait dire dès lors le fait d'être homme ? Sur quelles bases fallait-il faire reposer une telle idée ? Les *Essais* de Montaigne (1533-1592) traduisent fort bien ce désarroi et tout le génie de l'auteur va consister à le transformer en une force. Le monde est-il pluriel ? et la vérité multiple ? Soit. Cela veut dire que tout est mouvant et donc vivant. Sachons donc voir, dans le mouvement en tant que tel, non pas l'absence d'ordre, mais un ordre autre.

« La théologie est une science, mais en même temps combien est-ce de sciences ? Un homme est un suppôt, mais si on l'anatomise que sera-ce ? La tête, le cœur, l'estomac, les veines, chaque veine, chaque portion de veine, le sang, chaque humeur de sang ?
Une ville, une campagne, de loin c'est une ville et une campagne, mais à mesure que l'on s'en rapproche, ce sont des maisons, des arbres, des tuiles, des feuilles, des herbes, des fourmis, des jambes de fourmis, à l'infini. Tout cela s'enveloppe sous le nom de campagne. »
Pascal, *Pensées*.

QUEL | DU SUJET AU | VIVE

La pluralité des mondes

À peine l'Occident découvrait-il la relativité des cultures du fait des premières navigations autour de la Terre qu'un autre événement venait le secouer. En Italie, Galilée (1564-1642) mettait au point la première lunette astronomique qui permettait de découvrir l'infiniment grand, et en Hollande, Jansen, en 1604, élaborait pour la première fois un microscope donnant accès à l'infiniment petit. Résultat: il fallut se rendre à l'évidence que ce que l'on voit à l'œil nu n'est qu'une infime partie de ce qui est à voir. Des mondes se cachent derrière le monde. D'où, quantité de questions. Où commence le monde? Où finit-il? Et si le monde était infini avec d'autres mondes habités? Ces questions ont eu une telle importance qu'elles ont suscité un sentiment de vertige dont Pascal (1623-1662) s'est fait l'écho en écrivant dans ses *Pensées*: « *Le silence éternel de ces espaces infinis m'effraie.* » Où trouver un point fixe?

La perspective en peinture

Il y a un troisième fait enfin qui a son importance. En peinture, à la suite notamment des travaux d'Alberti (1404-1472), humaniste et architecte italien, des peintres sont parvenus à représenter la réalité en trompe l'œil grâce au procédé de la perspective consistant, pour le peintre, à reproduire dans le tableau, sous la forme d'un point de fuite, le regard même du spectateur. Ce procédé permettant de créer une illusion de réalité proprement déroutante a fait vaciller les limites du réel. Avec lui, l'art des anamorphoses consistant à peindre des images distordues uniquement visibles à l'aide d'un miroir, ou bien encore la fabrication des premiers automates, ont achevé de déstabiliser le regard. D'où ces questions. Où commence le réel? Où finit l'illusion? Et si la vie n'était qu'un songe? C'est à ces questions que la modernité va tenter de répondre.

La culture occidentale s'est mise à relativiser les choses à la suite de la découverte de l'Amérique, de l'infiniment grand, de l'infiniment petit et de l'art du trompe-l'œil.

CULTURE   MONDE   APPROFONDIR

Descartes et le *cogito*

Face à la relativité des choses Descartes a trouvé deux piliers : la conscience en lui et Dieu hors de lui.

« Non certes ; j'étais, sans doute, si je me suis persuadé, ou seulement si j'ai pensé quelque chose. Mais il y a un je ne sais quel trompeur très puissant et très rusé, qui emploie toute son industrie à me tromper toujours. Il n'y a donc point de doute que je suis, s'il me trompe ; et qu'il me trompe tant qu'il voudra, il ne saura jamais faire que je ne sois rien tant que je penserai être quelque chose. De sorte, qu'après y avoir bien pensé et avoir soigneusement examiné toutes choses, enfin, il faut conclure et tenir pour constant cette proposition : Je suis, j'existe, est nécessairement vraie, toutes les fois que je la prononce ou que je la conçois en mon esprit. »
Descartes, *Méditations métaphysiques*.

La question du point fixe

À la suite de la découverte de la relativité des cultures, de l'infiniment grand et de l'infiniment petit, des multiples jeux d'illusions possibles dans la réalité grâce à des artifices (*voir* pp. 8-9), le XVIe puis le XVIIe siècle ont été fortement déroutés. C'est la raison pour laquelle une question n'a cessé de préoccuper les esprits de ces époques : y a-t-il un point fixe dans le monde sur lequel on puisse s'assurer ? Dans un univers mouvant ces esprits ont cherché à s'assurer sur quelque chose de stable.

La conscience : un pilier intérieur

Descartes (1596-1650) n'a pas été effrayé par l'apparition d'une vision du monde relativisant tout. Ce qui l'a gêné, c'est la lourdeur de l'héritage scolastique* durant son éducation, où, au lieu d'apprendre à juger des choses par lui-même, on lui enseignait soit à répéter Aristote par cœur, soit à pratiquer d'inutiles discussions pour et contre à propos de tout. Aussi a-t-il salué le doute provoqué par la relativisation de toutes choses comme une manière efficace de purifier son esprit et de revenir par là à un certain nombre d'évidences.

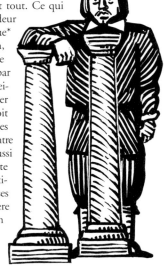

Toutefois, il n'a pas épousé le doute pratiqué par les sceptiques* jusque dans ses extrêmes limites. Car, fera-t-il remarquer, on peut douter de tout sauf du fait que l'on pense, puisque pour douter il faut penser. En outre, en admettant qu'il existe un grand trompeur voulant nous faire croire à une illusion de réalité, s'il cherche à nous tromper ainsi c'est bien que nous existons car on ne peut jamais tromper qu'une conscience capable d'être induite en erreur. Poussé à l'extrême autrement dit, le doute se renverse et nous démontre qu'il existe un point fixe en l'homme.

Dieu : un pilier extérieur

Descartes a pensé que l'homme possède en lui une conscience que rien ne peut réduire. À l'idée d'un ordre donné extérieurement dans les choses, il a substitué l'ordre né de l'intérieur de l'homme dans la conscience de celui-ci. Toutefois, jamais Descartes n'a idolâtré la conscience pour en faire un tout replié sur lui-même. Car, si c'était le cas, le monde se réduisant à notre monde, rien ne pourrait nous assurer quand nous pensons à quelque chose qu'il correspond bien quelque chose de réel à notre pensée.

Tout homme a manifestement le sens de la réalité. D'où lui vient ce sens ? Descartes répondra : de l'idée toute simple que l'homme n'a pas pu tout inventer. Il n'a pas pu, en particulier, inventer l'idée de Dieu. Car, si c'était le cas, cela voudrait dire qu'avec du fini on peut faire de l'infini. Ce qui est impossible. Fait-on de la lumière avec les ténèbres ? Nullement. C'est la raison pour laquelle il nous faut conclure que seul un être infini et parfait a pu mettre en nous l'idée du parfait et de l'infini. En ce sens, à chaque fois que nous pensons à l'idée du parfait ou de l'infini, nous pouvons être sûrs à l'intérieur de nous-mêmes qu'il existe au moins à l'extérieur de nous quelque chose d'absolument sûr.

En pensant ainsi qu'il y a quelque chose de certain en nous comme hors de nous, Descartes a rendu possible la science moderne. Car, pour faire de la science, il faut pouvoir croire que la raison est fermement assurée et que la réalité extérieure à l'homme n'est pas imaginaire.

« *Archimède, pour tirer le globe terrestre de sa place et le transporter en un autre lieu, ne demandait rien qu'un point qui fût fixe et assuré. Ainsi j'aurai droit de concevoir de hautes espérances, si je suis assez heureux pour trouver seulement une chose qui soit certaine et indubitable.* »
Descartes, *Méditations métaphysiques.*

Descartes a fondé la science moderne grâce aux idées de conscience et de Dieu, qui, l'assurant qu'il y a en lui comme hors de lui quelque chose de ferme et d'assuré, lui ont permis de partir à la découverte du monde.

CULTURE | MONDE | APPROFONDIR

Spinoza et l'Éthique

Tout en s'inspirant de la méthode inventée par Descartes, Spinoza s'est élevé contre le fait de placer l'homme au centre de tout.

« Ceux qui ont écrit sur […] la conduite de la vie humaine […] conçoivent l'homme dans la Nature comme un empire dans un empire. Ils croient, en effet, que l'homme trouble l'ordre de la Nature plutôt qu'il ne le suit, qu'il a sur ses propres actions un pouvoir absolu et ne tire que de lui-même sa détermination. Ils cherchent donc la cause de l'impuissance et de l'inconstance humaines, non dans la puissance commune de la Nature, mais dans je ne sais quel vice de la nature humaine et, pour cela, pleurent à son sujet, la raillent, la méprisent ou le plus souvent la détestent… »
Spinoza, l'Éthique.

Le point fixe

Avant le XVIIᵉ siècle les savants pensaient qu'il n'existait qu'un seul point fixe dans l'univers, à savoir la Terre située au centre de tout. Au XVIIᵉ siècle les savants découvrent l'infiniment grand comme l'infiniment petit. Il n'y a plus alors un monde mais des mondes, d'où la question : Où est le centre de l'univers ?

Contre l'empire de l'homme

Descartes, en découvrant qu'il existe un point fixe dans l'univers sous la forme de la conscience humaine, a soulevé autant de questions qu'il a apporté de réponses. L'homme est-il vraiment un être irréductible du fait de sa conscience ? Et le corps ? Et la matière ? Et la vie, s'est demandé Spinoza (1632-1677), grand lecteur et grand critique de Descartes. Spinoza n'a jamais accepté l'idée que l'homme soit un être à part dans la nature, une sorte d'« empire dans un empire », possédant une qualité supérieure par sa conscience ainsi que sa volonté. D'une façon générale, il n'a jamais pensé que la question du point fixe (la recherche d'un point fixe dans un univers multiple et instable) était une question pertinente. Nous sommes, dira-t-il très simplement, et cela devrait nous suffire. Nous sommes si inquiets sur nous-mêmes et si peu capables d'être que nous imaginons que nous sommes parce que nous le voulons ou que nous pensons. Or, c'est l'inverse qui est vrai. Nous voulons et nous pensons parce que nous sommes. Tout part de l'être et, en particulier, de cet être pleinement capable d'être en se faisant être à l'infini sous mille facettes que nous appelons Dieu. Telle la lumière, celui-ci ne cesse de rayonner.

QUEL POINT FIXE ?   DU SUJET AU POINT DE VUE   VIVE

Spirituellement sous la forme de la pensée. Matériellement sous celle des corps et de la matière. Il convient donc de cesser de se poser de faux problèmes, comme en particulier celui de savoir si nous sommes, qui nous sommes et où se trouve le point fixe de l'existence.

De l'impuissance à la puissance

Dieu, pour Spinoza, est une capacité infinie de création, et c'est dans ce mouvement de création que réside le point fixe de toutes choses. Dieu est fixe, non pas parce qu'il possède telle ou telle qualité, mais parce qu'il est, en affirmant pleinement son être. Si nous étions capables, ne serait-ce qu'un seul instant, d'être pour rien sinon pour être, comme Dieu, notre problème de point fixe serait résolu. Or, nous en sommes rarement capables. Car il faut être fort et courageux pour cela. Les hommes, le plus souvent, sont faibles. Ils veulent pouvoir se raccrocher à quelque chose. Obsédés par leur image, ils cherchent davantage à savoir qui ils sont qu'à être. Aussi la véritable question qui se pose n'est-elle pas tant de trouver un sens à la vie que de changer de mode de vie. C'est la raison pour laquelle Spinoza a intitulé son œuvre majeure l'*Éthique*.

« Les hommes se figurent être libres, parce qu'ils ont conscience de leurs volitions et de leur appétit et ne pensent pas, même en rêve, aux causes par lesquelles ils sont disposés à appéter et à vouloir, n'en ayant aucune connaissance». Spinoza, l'*Éthique*.

L'*Éthique*

Dans l'*Éthique* Spinoza s'est efforcé de montrer quelle voie il convient de suivre si l'on veut pouvoir s'ordonner par rapport à soi. Pour cela, il importe de renoncer à une illusion majeure. L'homme s'imagine qu'il est libre. De ce fait, il rejette catégoriquement l'idée d'une influence de la réalité sur ses actes. Résultat, vivant au gré de ses caprices, il vit dans une existence sous le signe du hasard. Quand ce hasard lui est favorable, il l'appelle providence, quand il lui est contraire, il le baptise fatalité. Si l'on veut pouvoir se délivrer de cet état obscur, il convient de modifier notre image de la vie. Un sage ne vit jamais au gré de ses caprices. Il a avec sa vie des rapports nécessaires, c'est-à-dire utiles mais aussi vitaux, c'est-à-dire essentiels. De ce fait, se laissant déterminer par la vie qui est en lui, il en vient à faire exister un monde vivant en dehors de lui, rempli d'actes utiles et essentiels. Alors, tout trouve son point fixe.

Pour Spinoza, celui qui se laisse déterminer par la vie au lieu de n'en faire qu'à sa tête épanouit la vie qui est en lui et trouve ainsi l'ordre qu'il recherche.

Leibniz et la notion de point de vue

Pour tenter d'accorder l'individu et la nature, Leibniz a placé de l'individualité partout en imaginant un monde infiniment varié où chaque chose possède une individualité.

« Il faut que chaque monade soit différente de chaque autre. Car, il n'y a jamais dans la nature deux Êtres qui soient parfaitement l'un comme l'autre et où il soit possible de trouver une différence intrinsèque. »
Leibniz,
La Monadologie.

Un esprit conciliant

Descartes a répondu à la question de savoir s'il y avait un point fixe dans le monde en se tournant vers l'homme et sa conscience, Spinoza en se tournant vers la nécessité que l'on trouve dans la nature et en Dieu. À qui dès lors donner raison ? À la vision humaine de Descartes partant de l'homme ? Ou à la vision divine de Spinoza partant de Dieu ? Tempérament conciliant par nature, Leibniz (1646-1716) a refusé de trancher, montrant dans sa philosophie qu'il n'est pas impossible de concilier les deux points de vue.

La monade

Pour tenter d'accorder ainsi l'être et l'individu, Leibniz a eu recours à une idée aussi audacieuse qu'élégante. Il a placé de l'individualité partout sous la forme de différences ou monades, du terme grec *monos* qui veut dire « Un »

« Chaque portion de la matière peut être conçue comme un jardin plein de plantes, et comme un étang plein de poissons. Mais chaque rameau de la plante, chaque membre de l'animal, chaque goutte de ses humeurs est encore un tel jardin ou un tel étang. »
Leibniz,
La Monadologie.

Tout est individuel, dira-t-il. Dans l'univers, il n'y a pas deux parties qui se ressemblent. Chacune a une individualité. De plus, tout est actif. Car chaque partie de l'univers étant une différence, celle-ci se conserve en se différenciant activement. D'où un dynamisme généralisé de toutes les individualités, chacune se différenciant avec pour conséquence une infinie variété faite de mille nuances déclinant toutes les transitions possibles que l'on peut observer dans la nature. À la lumière de ce tableau, on peut comprendre pourquoi Leibniz a été et demeure encore le grand philosophe de l'harmonie. La différence n'est-elle pas ce qui unit toutes les différences entre elles, sans que jamais l'unité n'étouffe la différence ni que la différence ne dissolve l'unité ? Quand on adopte la méthode dite de mise en perspective, qui est l'art de faire varier les points de vue, on peut comprendre comment l'individu et le tout de la création ne sont pas contradictoires, l'individu étant un tout de son point de vue, et le tout étant un individu de son point de vue également.

Du baroque au moderne

En conciliant ainsi l'individu et le tout de la création par sa méthode de variation de points de vue, Leibniz a pratiqué un geste audacieux qui en fait le plus moderne des penseurs baroques et le plus baroque des penseurs modernes. Ce geste ne consiste rien moins qu'à placer l'absolu dans le relatif et le relatif dans l'absolu. Souvent on oppose le relatif et l'absolu en voyant dans le relatif quelque chose de subjectif et de transitoire alors que l'absolu est objectif et stable. Leibniz s'est inscrit en faux contre cette opposition, car si un peu de relatif nous éloigne de l'absolu, beaucoup nous y ramène. Dans relatif, en effet, il y a relation, et, dans relation, il y a langage, communication, imagination, raison et finalement création. Multiplions le relatif et nous voyons qu'au bout d'un certain temps celui-ci passe à la limite et se transforme en absolu. Le baroque pour glorifier l'infinité de Dieu dans le fini de la création l'a compris. C'est pourquoi il a joué avec le fini et le relatif. La modernité avec son sens du relatif est donc plus près du baroque et de l'infini qu'on ne le pense.

> « Et comme une même ville regardée de différents côtés paraît toute autre, et est comme multipliée perspectivement, il arrive également que par la multitude des substances simples, il y a comme autant de différents univers, qui ne sont pourtant que les perspectives d'un seul selon les différents points de vue de chaque monade. »
> Leibniz, *La Monadologie*.

En envisageant la nature comme une multitude d'individualités expressives, Leibniz a annoncé la modernité pour qui tout est langage.

Pascal et la condition humaine

**Pour Pascal, ce n'est pas un point fixe
qu'il faut chercher, mais une réponse
à la condition humaine.**

*« Car enfin, qu'est-ce que
l'homme dans la nature ?
Un néant à l'égard
de l'infini, un tout
à l'égard du néant,
un milieu entre rien
et tout, infiniment
éloigné de comprendre
les extrêmes ; la fin
des choses et leur principe
sont pour lui
invinciblement cachés
dans un secret
impénétrable. Également
incapable de voir le néant
d'où il est tiré et l'infini
où il est englouti. »*
Pascal,
Pensées.

Le drame de l'existence humaine

Descartes (1596-1650), Spinoza (1632-1677) et Leibniz
(1646-1716) ont apporté chacun un type de réponse
à la question du fondement de la réalité, le premier
en s'appuyant sur la conscience, le deuxième sur la vie et
le troisième sur le multiple. Pascal (1623-1662), toutefois,
n'a pas été convaincu par ces réponses
trop intellectuelles selon lui.

Car, dira-t-il, avant de se poser
des questions théoriques, l'homme
se pose des questions pratiques
et existentielles. La première d'entre
elles renvoie à l'énigme de son origine, la deuxième à l'angoisse
de sa destinée, et la troisième
à l'absurdité de sa
condition.

Vivre, dira-t-il,
ne va pas de soi.
Car, si cela allait
de soi, nous sau-
rions d'où nous
venons et pourquoi
nous sommes là.
Or, tel n'est pas
le cas. Quand nous
venons au monde,
nous sommes jetés
dans celui-ci et propre-
ment embarqués dans
une aventure qui nous
dépasse de loin. En outre, la vie
ne nous laisse aucun choix. Quoi que

QUEL
POINT FIXE ?   DU SUJET AU
POINT DE VUE   VIVE
LA LIBERTÉ !

nous fassions, la mort attend chacun de nous sans aucune échappatoire possible. Enfin, entre le mystère de notre origine et la fatalité de notre destination, force est de constater que la logique des choses est souvent absurde et injuste. Des innocents sont massacrés alors que des bourreaux et des tortionnaires vivent en toute quiétude. À qui fera-t-on croire que la vie a un sens rationnel que l'on peut découvrir comme un savant étudie les lois de la nature ? Le comble de l'absurde dans l'absurdité générale n'est-il pas incarné par la volonté de trouver rationnel ce qui ne l'est pas ?

Du néant à Dieu

Pascal s'est insurgé contre une certaine façon de se donner bonne conscience, sans pour autant congédier tout sens de la vie. Car, s'il est hypocrite de tout trouver rationnel, il est paresseux de conclure une fois pour toutes à l'absurdité de toutes choses. Pour qui sait voir, le monde n'est ni sensé ni insensé, mais doté d'un sens autre. Ainsi, notre origine nous dépasse, c'est vrai. Mais ce dépassement est un signe. Le signe que nous avons perdu notre origine. Le signe aussi que cette origine est de l'ordre d'une grandeur infinie dont nous ne pouvons percevoir que la trace.

La vie est fatale. C'est vrai aussi. Mais c'est là encore un signe. Le signe que notre destin nous échappe parce qu'il nous vient d'ailleurs que nous-mêmes. Enfin, comment le nier, l'existence est parsemée d'injustices. Mais comment nier également que nous n'aurions pas le sens de l'injustice si nous n'avions pas, à travers la conscience intime d'une perfection absente, le sens de la justice tout court.

L'existence humaine a quelque chose de misérable. Mais il suffit d'en avoir conscience pour trouver sa grandeur. Car nous n'aurions pas le sens de la misère si nous n'avions pas celui de la grandeur. Entre donc la misère et la grandeur, il y a la conscience en laquelle, Pascal le dira, réside toute la dignité de l'homme. En réalisant que l'on saisit la grandeur de l'existence à travers sa misère, Pascal a découvert que la conscience est dépassement. Il suffit d'être conscient de quelque chose pour dépasser cette condition misérable. À sa suite toute la modernité ne cessera de réfléchir sur ce caractère dynamique de la conscience.

« Quelle chimère est-ce donc que l'homme ? Quelle nouveauté, quel monstre, quel chaos, quel sujet de contradictions, quel prodige ? Juge de toutes choses, imbécile ver de terre, dépositaire du vrai, cloaque d'incertitude et d'erreur, gloire et rebut de l'univers. Qui démêlera cet embrouillement ? Certainement, cela passe le dogmatisme et le pyrrhonisme et toute la philosophie humaine. L'homme passe l'homme. »
Pascal, *Pensées.*

En montrant qu'en ayant conscience du néant on découvrait la grandeur cachée sans laquelle nous n'aurions pas conscience du néant, Pascal a découvert la force de la contradiction.

Machiavel et la politique moderne

Machiavel a révolutionné la politique en fondant celle-ci sur l'efficacité et non sur la morale.

« Il faut savoir qu'il y a deux manières de combattre, l'une par les lois, l'autre par la force : la première sorte est propre aux hommes, la seconde est propre aux bêtes. Comme la première bien souvent ne suffit pas, il faut recourir à la seconde. Ce pourquoi est nécessaire au Prince de savoir bien pratiquer la bête et l'homme… Parmi les bêtes, il doit choisir le renard et le lion ; car le lion ne peut se défendre des rets et le renard des loups ; il faut donc être renard pour connaître les rets, et lion pour faire peur aux loups. »
Machiavel, *Le Prince*.

La politique
C'est l'art de gouverner les hommes organisés en Cité (en grec : *polis*). Elle se fonde sur la connaissance des mécanismes de la vie collective.

Un déçu de la morale

Alors que le monde issu de la Renaissance découvrait la relativité des choses et s'efforçait d'y remédier en jetant les bases de la science moderne, une autre transformation, d'ordre politique, a eu lieu. Celle-ci a vu le jour en Italie, à Florence, sous l'impulsion de Machiavel (1469-1527). Constatant que l'Église avait une politique ambiguë du fait de ses préoccupations morales, freinant tour à tour l'action du pouvoir quand il fallait que celle-ci soit efficace, ou bien trahissant, aux yeux de tous, ses propres principes au point de susciter une vive inimitié chez ses partisans, celui-ci s'est demandé s'il ne serait pas possible de remédier à ces carences en pensant la politique autrement. Comment ? En imaginant une politique sans morale, soumise aux critères de l'action et de l'efficacité avec pour unique référent l'histoire en ce domaine.

Une politique sans morale

Pendant très longtemps, l'Occident a été dominé par l'idée que la politique devait se donner pour tâche de conduire les hommes à la perfection. Chez saint Augustin (354-430) par exemple, on trouve l'idée selon laquelle la cité terrestre doit travailler à l'avènement de la cité céleste. Un tel idéal de la politique a favorisé un modèle hiérarchique de la vie sociale, laquelle a été conçue comme une grande pyramide avec, au sommet, Dieu, puis le roi et toute la suite de ses sujets rangés selon l'ordre de leurs mérites respectifs. De ce fait, tout était jugé en fonction d'un modèle et de principes donnés au départ, auxquels l'ensemble de la société avait pour mission de se conformer. Si un tel idéal social a eu le mérite de fournir des repères à la société, il a eu aussi de graves conséquences. Au cours du XVe siècle, un moine du nom de Savonarole (1452-1498) a semé la terreur en Italie, sous prétexte de purifier les mœurs. Durant la même période, Tomas de Torquemada (1420-1498), le grand inquisiteur espagnol désireux de purifier l'Espagne des hérétiques, a allumé les bûchers de l'Inquisition, pour des motifs semblables. Très impressionné par ces débordements de violence, Machiavel s'est demandé: Et si on cessait de vouloir diriger la politique selon une morale?

De l'efficacité à l'histoire

Sur quels principes, dès lors, fonder la vie politique? Par l'action efficace, répondra Machiavel, avec pour référence la nature et l'histoire. Jugeons une politique d'après ses résultats, dira-t-il, nous serons toujours sûrs de lui conserver une liberté de mouvement. La nature est là pour le prouver. Ce qui perdure en elle a toujours consisté dans ce qui réussissait à se conserver en l'efficacité pour principe. L'histoire l'atteste également. Les grands empires ont été le fait de grandes personnalités ayant assimilé l'art de durer le plus longtemps possible grâce à leur action efficace.

Machiavel, en pensant ainsi, a radicalement changé la relation que l'on peut avoir avec la politique. Cessant de soumettre la nature et l'histoire à la morale, il a au contraire soumis la morale à la nature ainsi qu'à l'histoire. Que cela ait ouvert la porte au cynisme faisant feu de tout bois, c'est ce qui n'a échappé à aucun commentateur avisé. Mais que cela ait fait du politique un domaine autonome doté d'une multiplicité de combinaisons possibles, c'est ce qui a contribué à faire naître la science politique moderne qui s'efforce encore aujourd'hui de penser le domaine politique comme un domaine autonome.

En analysant la politique sous l'angle de l'efficacité du pouvoir, Machiavel a fondé la science politique moderne.

Hobbes et l'État

Hobbes a été le premier à penser toute la politique comme un mécanisme.

Obéir
Pour Hobbes,
la vie en société
vaut mieux
que la guerre.
Il est préférable
d'obéir
à un souverain
que n'obéir à rien.
Le principe
éclaire selon lui
le mécanisme
de toute la vie
politique.

Un défenseur de la monarchie absolue

Machiavel (1469-1527), par son œuvre, a ouvert la porte au relativisme politique (*voir* pp. 18-19). En ce sens, il a préparé l'avènement de la Révolution française et la chute de la monarchie. Toutefois, il serait faux de penser que son œuvre n'a qu'une face. Celle-ci a aussi contribué au renforcement de la monarchie et en particulier de la monarchie absolue, en conférant un rôle décisif aux grands hommes, seuls capables d'agir efficacement dans la société.

Un penseur a bien compris l'usage que la monarchie absolue pouvait retirer du machiavélisme. Il s'agit de Hobbes (1588-1679). Lecteur de Machiavel et de Descartes, celui-ci a eu l'idée, le premier, d'élaborer une science du politique afin d'asseoir la monarchie absolue sur des bases rationnelles. Nullement désarçonné par la méthode machiavélienne fondée sur l'action efficace au sein de la nature et de l'histoire, il s'est attaché à démontrer que le mécanisme même des choses conduisait à l'absolutisme et justifiait celui-ci.

L'état de nature

Toute sa démonstration commence d'abord avec le tableau qu'il dresse de la nature. À l'état de nature, dira-t-il, les hommes sont mus par leur désir de vivre et de se conserver.

À l'image de la nature qui est et qui fait tout pour être, ils font tout pour vivre et se conserver. Aussi assiste-t-on à un égoïsme généralisé. Chacun faisant tout pour être en utilisant tous les moyens pour cela, tout le monde est en

QUEL POINT FIXE? | DU SUJET AU POINT DE VUE | VIVE LA LIBERTÉ !

guerre contre tout le monde. La loi de la jungle domine. L'homme est un loup pour l'homme.

Si un tel état est satisfaisant pour l'égoïsme et son désir de liberté infinie, il ne l'est pas pour la vie. On a beau vouloir être libre, encore faut-il vivre pour être libre, faute de quoi, la liberté se dissout. À force de vivre dans la violence, on est continuellement confronté au risque de la mort et, vivant de la sorte, on s'épuise à vouloir se défendre. Est-ce cela la liberté? L'homme raisonnable répond non, dira Hobbes.

> « La seule façon d'ériger un pouvoir commun apte à défendre les gens de l'attaque des étrangers et des torts qu'ils pourraient se faire les uns aux autres, et ainsi à les protéger de telle sorte que par leur industrie et par les productions de la terre ils puissent se nourrir et vivre satisfaits, c'est de confier tout leur pouvoir et toute leur force à un seul homme, ou à une seule assemblée, qui puisse réduire toutes leurs volontés, par la règle de la majorité, en une seule volonté. Cela revient à dire, désigner un homme ou une assemblée, pour assumer leur personnalité. La multitude ainsi unie en une seule personne est appelée République. Telle est la génération de ce grand Léviathan, qui est ce dieu mortel, à qui, sous le Dieu immortel, nous devons notre paix et notre sécurité. »
> Hobbes, Le Léviathan.

À force de vivre dans l'insécurité, celui-ci découvre qu'il vaut mieux être vivant et renoncer à une liberté totale ayant droit à la violence que d'être épuisé par la nécessité de se battre et de se défendre. Aussi décide-t-il de passer un pacte de non-agression avec ses semblables en déléguant à un souverain absolu son droit à la violence, afin que celui-ci fasse régner la paix.

Le nouvel idéal du politique

Hobbes, à travers cette analyse, montre bien en quoi un souverain absolu est une nécessité. Si l'on veut pouvoir échapper à la contrainte de la guerre collective, il convient d'accepter cette moindre contrainte qu'est la vie en société sous la direction d'un souverain. En ce sens, Hobbes a bien démontré le caractère rationnel de la monarchie absolue. Toutefois, sa réflexion va plus loin. En donnant à la monarchie absolue une base rationnelle et non plus théologique, il a de fait conféré au politique le statut d'un domaine autonome vis-à-vis de la religion et de la morale. En outre, tout étant désormais lié à la nécessité de la conservation de soi, la vie face à la mort est devenue la valeur remplaçant toutes les autres valeurs et, en particulier, la morale. D'où l'importance de la sécurité et de la prospérité économique, qui, aujourd'hui encore, servent de raison d'être à la politique moderne.

Avec Hobbes, sécurité et prospérité assurant la conservation de soi sont devenues l'unique raison d'être du politique.

CULTURE   MONDE   APPROFONDIR

Rousseau et le contrat social

Rousseau a cru que par un contrat de société unissant tous les hommes il était possible de construire un État où chaque homme demeurerait libre.

« Trouver une forme d'association qui défende et protège de toute la force commune la personne et les biens de chaque associé, et par laquelle chacun s'unissant à tous n'obéisse pourtant qu'à lui-même et reste aussi libre qu'auparavant. »
Rousseau,
Le Contrat social.

Philosophe et démocrate.
Rousseau est le grand penseur de la démocratie moderne. En décidant de s'unir par un contrat social, dira-t-il, les hommes peuvent triompher de la violence qui les opprime.

Une nouvelle vision de la nature

Hobbes (1588-1679) s'est servi de la relativité des choses afin d'asseoir la monarchie absolue (*voir* pp. 20-21). Tous les penseurs ne sont pas parvenus à de telles conclusions. Jean-Jacques Rousseau (1712-1778), en particulier, s'est vivement élevé contre l'idée qu'à l'état de nature régnait la guerre et, donc, que la paix résidait dans la vie en société sous la conduite d'un monarque absolu veillant à la sécurité collective. À l'état de nature, dira-t-il, l'homme se conserve dans l'insouciance en vivant heureux et paisible, grâce à ce que la nature a disposé autour de lui, et son sentiment naturel est celui de la pitié envers ses semblables. Car, vivant, sensible, il est de par sa sensibilité naturellement sensible à tout ce qui est.

À l'état de société, en revanche, l'homme est souvent méconnaissable. S'étant approprié le monde, il se croit quelqu'un et se met à vivre pour le paraître, le pouvoir et la richesse, au point que l'artifice finit par être sa seconde nature. Il convient donc de relativiser le mécanisme décrit par Hobbes et de donner un autre sens à la relativité des choses. Ce qui est relatif, ce n'est pas tant la nature des hommes que la société avec ses constructions. Toute la question est dès lors de savoir si, dans une société pleine

QUEL POINT FIXE ? | DU SUJET AU POINT DE VUE | VIVE LA LIBERTÉ

d'illusions où l'homme est amené à glorifier la tyrannie par soif de pouvoir, de richesse et de paraître, il est possible de faire exister une société humaine. À cette question, Rousseau va répondre oui. Il est possible de trouver un mode d'association tel que sans cesser d'être lui-même l'homme puisse vivre avec ses semblables. Ce mode est celui du contrat social résumé ainsi : chacun décidant d'obéir à tous, tout le monde obéissant à tout le monde, personne ne finit au bout du compte par obéir à personne. Si donc la société décidait collectivement de s'unir, il serait possible de triompher de l'aliénation sociale.

De la souveraineté du prince à la souveraineté du peuple

Rousseau a cru dans la force commune de l'humanité réunie en société. Selon Jean Starobinski (né en 1920), grand critique contemporain de Rousseau, cela vient de ce qu'il a cru au pouvoir du bonheur et de la fête comme tous les hommes des Lumières*. De ce fait, on a eu raison de voir en Rousseau un penseur de la Révolution. D'abord, par sa foi dans la force commune il a fondé le mythe de l'humanité qui a été le grand mythe du XIXᵉ et du XXᵉ siècle. Par ailleurs, il a été à la base de l'idée moderne de démocratie. Grâce à son idée de la force commune née de l'unité collective, il a imaginé la possibilité inédite que puisse exister un pouvoir sans violence. Enfin, ne l'oublions pas, Rousseau a été à l'origine d'une refonte de la notion de souveraineté. Toute société a besoin en effet d'un souverain capable d'arbitrer les conflits, de trancher et de décider, sans quoi celle-ci n'agit pas. Toutefois, toute société a besoin d'un arbitre qui prenne des décisions en fonction de ce qui est et non de ses désirs personnels, sans quoi celle-ci bascule dans la tyrannie. Comment dès lors accorder les nécessités de la décision et de la réalité sans basculer dans l'immobilisme ou la tyrannie ? Rousseau va répondre : en faisant du peuple entier le souverain, et par cette réponse, il va donner naissance au nouveau visage de la politique moderne qui trouvera dans les idées développées par Rousseau non seulement un idéal d'action, mais un modèle d'explication et de rationalité aussi fécond que pertinent.

« L'homme est né libre, et partout il est dans les fers. Tel se croit le maître des autres, qui ne laisse pas d'être plus esclave qu'eux. Comment ce changement s'est-il fait ? Je l'ignore. Qu'est-ce qui peut le rendre légitime ? Je crois pouvoir répondre à cette question. Si je ne considérais que la force et l'effet qui en dérive je dirais : tant qu'un peuple est contraint d'obéir et qu'il obéit, il fait bien ; sitôt qu'il peut secouer le joug et qu'il le secoue, il fait encore mieux ; car, recouvrant sa liberté par le même droit qui le lui a ravie, ou il est fondé à la reprendre, ou l'on ne l'était point à la lui ôter. »
Rousseau,
Le Contrat social.

En confiant la souveraineté au peuple afin d'éviter la tyrannie Rousseau a jeté les bases de la démocratie.

Kant et la révolution

Kant, en tirant la leçon de Rousseau, a placé l'idée de révolution et de liberté au centre de son système.

L'homme n'est pas Dieu

Kant (1724-1804) a eu une belle expression à propos de Rousseau (1712-1778). Il l'a qualifié de «Newton de la vie morale». Newton (1642-1727) a, en effet, révolutionné la physique, en s'efforçant non plus de produire les causes de la nature, mais en se contentant d'en décrire les lois. À la question «pourquoi?» il a substitué la question «comment?» en renonçant à toute explication métaphysique des choses pour se borner à une description physique, c'est-à-dire purement rationnelle et humaine de celles-ci. Rousseau a fait de même dans la vie morale et politique. Partant de l'homme afin d'arriver à l'homme, il s'est borné à une vue humaine des choses. En quoi il a été sage selon Kant.

Les hommes, dira Kant, et en particulier les philosophes, ont toujours eu tendance à vouloir se prendre pour Dieu en cherchant à tout comprendre. Résultat, ils ont outrepassé les limites de leur intelligence et produit des apparences d'explications fondées sur des raisonnements spécieux. C'est la raison pour laquelle il convient de critiquer la métaphysique en montrant les limites de notre connaissance. Que pouvons-nous savoir? Certainement rien à propos de Dieu, de l'immortalité de l'âme et de la création du monde, car il faudrait, pour cela, pouvoir être à la place de Dieu et englober le monde entier. En revanche, nous pouvons, dans les limites qui sont les nôtres, cultiver le monde et l'humaniser en interprétant celui-ci dans le cadre de notre expérience. Si nous agissons de la sorte, nous cesserons de prendre les vertiges de notre pensée pour la réalité des choses et, agissant ainsi, nous éviterons de tuer le mystère des choses tout en produisant des rationalisations du mal. Car c'est finalement bien là qu'échappe tout usage excessif de la raison. L'homme est égoïste par nature. Cet égoïsme est à la base de sa violence et cette violence

« Le premier qui démontra le triangle isocèle, qu'il s'appelât Thalès ou un autre, a été frappé d'une grande lumière; car il a trouvé qu'il ne devait pas s'attacher à ce qu'il voyait dans la figure, ou même au simple concept qu'il avait en lui, mais qu'il avait à engendrer, à construire cette figure, au moyen de ce qu'il pensait à ce sujet et se représentait a priori par concepts, et que, pour connaître avec certitude une chose a priori, il ne devait attribuer à cette chose que ce qui dérivait nécessairement de ce qu'il y avait mis lui-même.»
Kant, *Critique de la raison pure.*

source
d'inhumanité.
Si l'homme a pu
s'humaniser, c'est parce qu'il s'est élevé
au-dessus de la nature, en ne trouvant pas «naturel»
cet égoïsme. Quand donc le rationalisme donne
une raison à tout, au point de trouver rationnel
l'égoïsme naturel des hommes, il est, qu'il le veuille
ou non, immoral. La science poussée à l'excès conduit
à l'inhumanité. C'est la raison pour laquelle c'est à la morale
de diriger la science, et non l'inverse.

Une pensée de la pratique

En faisant de la responsabilité la clé de la raison, Kant
a radicalement changé le visage de la philosophie. Car il a
montré que la véritable raison est d'abord pratique. Tout
doit partir du fait que l'homme a un devoir envers l'homme
et que ce devoir doit tout guider afin de donner naissance
à un monde humain et non à un monde inhumain.
En ce sens, notre première tâche est de nous déterminer
à être des hommes. Ce qui est proprement révolutionnaire.
En astronomie en effet, quand une planète «fait sa révolution», c'est lorsqu'elle revient à son point de départ.
En philosophie, un philosophe fait sa révolution quand
il est revenu sur lui-même afin de se déterminer lui-même.
Il faut donc, si l'on veut pouvoir vivre dans la nature,
faire comme les planètes, c'est-à-dire nous révolutionner
en revenant à nous-mêmes afin de nous déterminer à être
nous-mêmes. Quand c'est le cas, selon Kant, devenant
responsable de nous-mêmes nous inaugurerons une vie
vraiment humaine. Tous les génies qui ont apporté
quelque chose à l'humanité ont eu du génie parce qu'ils
ont opéré cette révolution sur eux-mêmes.

*« Agis uniquement
d'après la maxime
qui fait que tu peux
vouloir en même temps
qu'elle devienne
une loi universelle. »*
Kant, *Fondements de la
métaphysique des mœurs.*

Être un
révolutionnaire,
selon Kant,
consiste
à comprendre
que l'homme doit
se déterminer
à être lui-même,
car il a un devoir
envers lui-même.

CULTURE | MONDE | APPROFONDIR

Hegel et la force des choses

**Hegel a appliqué la leçon de Kant
à l'histoire entière, en voyant en celle-ci
un vaste mouvement de l'humanité
pour réaliser l'humanité.**

La leçon de Kant

Kant (1724-1804), en fondant toute sa pensée sur la responsabilité de l'homme se déterminant pratiquement (il est responsable de sa vie), a provoqué des conséquences qu'il n'avait certainement pas imaginées au départ. Il a tout simplement conféré au moi un caractère de fondement. Fichte (1762-1814) l'a si bien compris qu'il n'a pas hésité à voir dans la proposition moi = moi le principe fondamental de toute science. L'homme, dira Fichte, découvre le principe d'identité a = a qui est à la base de toute logique, en lui-même quand il découvre l'identité de son moi, à savoir : moi = moi. Il n'est donc plus nécessaire d'aller chercher l'origine d'un tel principe dans un quelconque monde des Idées ou dans le Ciel. C'est en l'homme qu'il se trouve.

Si une telle découverte a eu des effets révolutionnaires en invitant les hommes à découvrir que l'absolu se trouve en eux, pour peu qu'ils prennent la peine de faire quelque chose de leur propre humanité, elle a eu également pour conséquence les excès du romantisme. Fasciné par la découverte kantienne et fichtéenne, le romantisme va exalter la subjectivité au plan individuel et la nation au plan collectif, sous prétexte de servir l'idée d'autodétermination, fondement de toute l'humanité. Résultat, il débouchera sur la fièvre

« La philosophie est le fondement du rationnel, elle est l'intelligence du présent et du réel et non la construction d'un au-delà qui se trouverait Dieu sait où, ou plutôt on sait bien où il se trouve : il est dans l'erreur, dans les raisonnements partiels et vides… Ce qui est rationnel est réel et ce qui est réel est rationnel. C'est la conviction de toute conscience libre de prévention, et la philosophie part de là lorsqu'elle considère aussi bien l'univers naturel que l'univers spirituel. Lorsque la réflexion, le sentiment et en général la conscience subjective sous une forme quelconque considèrent le présent comme vain, le dépassent et prétendent savoir mieux, ils se trouvent dans le vide, et comme ils n'ont de réalité que dans le présent ils sont eux-mêmes vanité. Quant au point de vue pour qui l'Idée n'est qu'une opinion la philosophie lui oppose que rien n'est plus réel que l'Idée grâce à qui il est possible de trouver, à travers le passager et l'apparence, l'éternel qui est présent. »
Hegel, *Principes de la philosophie du droit.*

du moi prêt à tous les excès afin de s'affirmer ainsi que sur la fièvre nationaliste qui a maintes fois enflammé le XIXᵉ siècle ainsi que le XXᵉ.

Le démon de l'immédiateté

Conscient très tôt de ces dangers, Hegel (1770-1831) a tenté de réagir en combattant sur deux fronts. D'un côté, en grand lecteur de Kant, il s'est accordé pour voir, avec celui-ci, dans le principe d'autodétermination de l'homme à être homme, une découverte fondamentale. Car, soulignera-t-il, c'est effectivement de cette détermination de l'homme à devenir lui-même que tout part. Cela dit, méfions-nous des mauvais usages possibles d'une telle découverte. Car, s'il est vrai que tout part de cette autodétermination, celle-ci ne saurait être confondue avec une subjectivité immédiate, sous peine de n'être plus qu'une caricature d'elle-même. Concrètement cela veut dire qu'être homme, cela demande du temps. Être homme, cela ne se fait pas seul. Être homme, autrement dit, cela requiert un travail consistant à sortir de soi, en devenant étranger à soi, afin de rentrer dans le temps et dans la société avec les autres pour faire exister concrètement cette notion d'homme. D'où la nécessité pour la philosophie, si celle-ci veut être cohérente avec elle-même, de poser à chaque moment de son déploiement historique, dans le temps qui est le sien, la question de l'homme et des conditions de sa réalisation, ici et maintenant.

Dans *La Phénoménologie de l'esprit* Hegel montrera à travers une vaste fresque comment, à chaque moment de son histoire, la philosophie s'y est prise pour faire vivre l'autodétermination de l'humanité. Et dans ses *Principes de la philosophie du droit*, s'efforçant de penser la rationalité de l'État, il a tenté de donner une réalité concrète à ce que selon lui signifiait le fait de vouloir vivre la liberté.

Hegel, autrement dit, à la suite de sa lecture de Kant, de Fichte et des romantiques, a voulu réconcilier la philosophie avec la réalité en montrant que l'humanité est un mot vide de sens si l'on n'est pas soi-même un homme en faisant vivre l'homme ici et maintenant. D'où sa constante critique de l'abstraction et de l'immédiateté.

La philosophie de Hegel est la première pensée qui s'est efforcée de réconcilier la pensée avec l'existence.

De l'existence au soupçon

**L'exigence de revenir à l'existence
a engendré les philosophies critiques
dites «du soupçon».**

Penser après Hegel

Hegel (1770-1831) a conduit à son terme toute une logique
de la pensée politique commencée avec Machiavel (1469-
1527). Ce dernier s'interrogeant en se demandant «*est-il
possible de penser une organisation de l'humanité sans passer
par une foi religieuse ou des principes moraux, simplement
à partir de ce qui est?*», Hegel a répondu oui. Il existe
une logique qui est celle de l'autodétermination et qui,
partant de ce qui est, revient à ce qui est. Comme Hobbes
(1588-1679), comme Rousseau (1712-1778), comme Kant
(1724-1804), Hegel a fait confiance à la raison ainsi
qu'au réel. Il a pensé que l'humanité pouvait se gouverner
à partir d'elle-même, parce qu'il a cru que la folie universelle
n'était pas possible. Le monde n'est pas fou. «*Tout ce qui est
réel est rationnel*» dira-t-il dans les *Principes de la philosophie
du droit*, et «*tout ce qui est rationnel est réel*». Cela veut dire
que l'on parvient toujours à résoudre les contradictions
que la réalité présente ou que la pensée produit, tant il est
vrai qu'on ne peut jamais vivre
n'importe comment ni penser
n'importe quoi. On vit toujours dans la vie comme
on pense dans la pensée,
ou bien on ne vit pas
et on ne pense pas. Les
hommes sont passion-
nés, joueurs et incons-
cients. Parfois même,
ils bravent le destin
du fait de leurs passions.
Face au risque de la mort
pourtant, ils ont un sursaut.
Ils préfèrent vivre que se détruire.

| QUEL POINT FIXE? | DU SUJET AU POINT DE VUE | VIVE LA LIBERT |

C'est la voix de la vie comme de la raison qui parle en eux. Il y a de ce fait une force des choses. Cette force, Hegel l'a appelée du nom savant d'Esprit qui est l'automouvement tant de la vie que du concept.

Tout a du sens !

Mal interprétée, cette confiance dans la force des choses peut conduire à une forme d'optimisme naïf, voire délirant, donnant n'importe comment du sens à tout et produisant de pseudo-solutions à propos des contradictions qui se trouvent dans les choses ou dans les pensées. C'est la critique que beaucoup de penseurs ont adressée à Hegel, en voyant en lui un monstre théorique digérant tout par l'entremise d'une pensée se pensant toute seule dans l'histoire. Bien interprétée cependant, cette confiance n'est nullement délirante. Elle est au contraire l'un des stimulants les plus efficaces qui soit pour la pensée. Quand, en effet, on a présent à l'esprit qu'il existe une force des choses, on a en mémoire, comme Spinoza (1632-1677), que rien n'est le fruit du hasard. Tout a du sens, car la vie est utile et vitale pour elle-même. De ce fait, les choses qui paraissent insignifiantes cessent de l'être et, cessant de l'être, toute une vie cachée vient à apparaître.

Ainsi, Freud (1856-1939) a découvert l'inconscient, parce qu'il a prêté attention à des choses apparemment insignifiantes comme les lapsus, les actes manqués ou les rêves. De même, Marx (1818-1883) a fait remonter à la surface les mécanismes de l'aliénation sociale, parce qu'il a considéré de près l'argent, sans dénigrer celui-ci ou se laisser fasciner par lui. Enfin, Kierkegaard (1813-1855) a su penser des sentiments auxquels les philosophes prêtent peu d'attention, comme l'angoisse, l'humour ou la séduction, parce que justement il est allé chercher du sens là où on ne le soupçonnait pas.

La vie est riche. Être vivant, c'est avoir cette qualité qui consiste à la découvrir comme plus vivante qu'on ne le pense. C'est la raison pour laquelle la pensée véritable est vivante et la vie pleine de sens. La philosophie à partir de Hegel l'a compris. C'est pour cela qu'elle a pratiqué une critique active afin de délivrer la vie vraie.

« Quand on examine la situation actuelle, on est tenté de se dire qu'elle illustre à merveille le mot de Stendhal : « le génie du soupçon est venu au monde ». Nous sommes entrés dans l'ère du soupçon… Considérons la façon dont Balzac décrit le père Grandet dans Eugénie Grandet. Quelque chose d'insolite et de violent se cache derrière les apparences familières. Tous les gestes du personnage en retracent certains aspects ; le plus insignifiant bibelot en fait miroiter une facette. C'est cela qu'il s'agit de mettre au jour et d'explorer jusque dans ses extrêmes limites, de fouiller dans tous ses replis : une matière dense, toute neuve, qui résiste à l'effort et attise la passion de la recherche. »
Nathalie Sarraute,
L'Ère du soupçon.

Les philosophies dites « du soupçon » consistent à pratiquer une critique qui fait redécouvrir toute une vie cachée à côté de laquelle nous passons.

Schopenhauer et le vouloir-vivre

Schopenhauer a été, avant Freud, le premier à penser l'inconscient.

Penser après Kant

Lorsque Kant (1724-1804) a critiqué la prétention des philosophes à vouloir connaître la cause première du monde grâce à cette science de toutes les sciences intitulée «métaphysique», il a fait remarquer que tout ce que nous connaissons du monde passe par les représentations que nous en construisons. Car nous n'avons pas accès au monde en soi. Le monde auquel nous avons affaire est toujours un monde pour nous. De ce fait, il convient de distinguer les phénomènes, c'est-à-dire ce qui apparaît (phénomène vient du grec *phainestai* qui veut dire « apparaître », «se manifester»), des noumènes (vient du grec *nous*, «intelligence») qui sont ce qui fait que quelque chose vient à apparaître pour nous. Les noumènes, dira Kant, sont l'en soi des choses qui ne peut jamais être qu'une pure idée. Si nous n'avions pas une idée de l'en soi des choses, nous ne pourrions pas nous les représenter. Reste néanmoins que jamais nous ne pouvons accéder à un tel en soi. Celui-ci est hors de portée des hommes.

Schopenhauer critique de Kant

Cette notion de chose en soi a été vivement critiquée à l'époque. Pour savoir que l'idée d'une chose est bien l'idée de cette chose, dira Schopenhauer (1788-1860), ne faut-il pas que nous sachions que l'idée de cette chose est bien l'idée de cette chose? Il convient dès lors de se rendre à cette évidence: notre connaissance, comme nos idées, commence dans les choses à partir de notre corps parmi les autres corps faisant effort pour vivre, et non dans les idées. C'est à partir de notre volonté de vivre cherchant à être présente dans l'existence et à se représenter les choses que peu à peu notre connaissance se construit. En ce sens, le monde des idées est très concret. Il n'est pas au-delà du sensible, mais le sensible lui-même.

« C'est dans la Volonté qu'il faut chercher l'unique donnée susceptible de devenir la clé de toute notre connaissance vraie… Toute l'identité de la personne repose sur la volonté identique qui ne vieillit pas en l'homme. C'est cette volonté qui confère une persistance à son regard. L'homme se trouve dans le cœur et non dans la tête… L'intermittence périodique même de l'intellect en démontre le caractère secondaire. Dans le sommeil profond, la connaissance et la représentation sont complètement suspendues, mais le noyau même de notre être ne suspend pas son activité.»
Schopenhauer,
Le Monde comme volonté et comme représentation.

| QUEL POINT FIXE? | DU SUJET AU POINT DE VUE | VIVE LA LIBERT |

Un penseur de l'inconscient

En faisant du corps la clé du monde des idées, en montrant que toute notre connaissance s'enracine dans notre vouloir-vivre, Schopenhauer a été le premier à penser l'inconscient comme étant la clé de l'homme. Son originalité cependant ne s'arrête pas là. Constatant que le désir humain de vivre conduit les hommes à vivre, à se construire et à s'affirmer, mais aussi à la passion, à la violence et finalement à la destruction d'eux-mêmes, il en a conclu que ce désir est une éternelle contradiction. Les hommes ne seraient rien si le désir de vivre n'existait pas, mais parce qu'un tel désir existe, ils ne cessent d'être les victimes de ce désir en subissant celui-ci. D'où la levée d'une deuxième énigme concernant, cette fois-ci, la condition humaine. Le destin existe bien, mais il ne se situe pas là où on le pense. Car il est en nous-mêmes. D'où également la profondeur de la sagesse orientale comme de la mystique chrétienne qui, toutes deux, ont bien compris qu'il n'y avait qu'une issue si l'on voulait pouvoir ne plus subir : renoncer à vivre en renonçant au vouloir-vivre. Comment ? En entreprenant d'épouser la voie du dépouillement et de la sainteté pour les tempéraments religieux, en se dépouillant de soi à travers la création pour les artistes ou en nourrissant un pessimisme actif pour les philosophes. La vie n'est pas l'image que l'on s'en fait. Or, les hommes ne cessent d'être les jouets de leurs propres représentations des choses en vivant pour ces mêmes représentations. C'est en ce sens qu'il importe de renoncer à vivre. « Ne plus avoir d'image », Platon l'avait déjà dit. Notre monde obsédé par l'image en est loin !

Afin que l'homme se délivre des images qu'il se fait et qui l'entravent, Schopenhauer a enseigné à renoncer à vivre pour ces images.

Kierkegaard et l'existence

**Kierkegaard a été le grand penseur
de la passion en voyant en elle l'expression
la plus profonde de l'humanité.**

Il faut réhabiliter l'existence

Si Schopenhauer (1788-1860) a dénoncé la passion
du vouloir-vivre et les illusions que celle-ci peut véhiculer,
la notion d'existence ne saurait être réduite à une pure
illusion. Et, quand bien même vouloir exister rimerait avec
passion, cette passion n'a pas que des aspects funestes.

Après avoir fréquenté les cours de Hegel (1770-1831)
à Berlin, après avoir fréquenté la bonne société dans
les salons et avoir tenté de se fiancer, après avoir côtoyé
des ecclésiastiques en vue à son époque, Kierkegaard
(1813-1855) a été frappé, comme Pascal, par le fait que
les hommes authentiques sont rares. Car bien souvent
les hommes se cachent derrière des discours, des jeux
mondains ou des fonctions afin de ne pas exister, et de fuir
le moment toujours angoissant d'affirmer sa liberté
en pratiquant un choix fondamental enga-
geant toute sa vie. Il existe une fâcheuse
tendance collective à composer avec
les apparences et à faire comme si.
Comme si tout allait bien.
Comme si tout était pour
le mieux dans le meilleur
des mondes. Comme si tout
était normal, alors que l'existence est un drame, que rien
ne va de soi et que bien des
ordres ne sont que des désordres
camouflés par des arrangements
factices. Une telle façon de se
donner bonne conscience
tronque la vie. Car, quand
on se contente ainsi d'une vie
qui n'est pas, on manque la vie

qui est, ainsi que celle qui pourrait être. C'est la raison pour laquelle Kierkegaard s'est fait l'ardent défenseur de l'existence.

De Don Juan au Christ!

Exister, au sens littéral, cela veut dire sortir de soi, se dépasser, se transcender. L'existence, en ce sens, n'est pas l'être, c'est-à-dire la réalité, ni la vie, à savoir la vie biologique. Car elle est un dépassement de la simple réalité comme de la vie purement biologique. On peut vivre sans exister. C'est ce qui se passe dans l'existence molle et paresseuse où tout le monde fait semblant d'être lui-même alors que fondamentalement il ne l'est pas, fuyant les questions essentielles dans des préoccupations matérielles, des jeux mondains ou de médiocres petits bonheurs. Dans l'existence digne de ce nom, refusant de s'accommoder avec cette fuite et cette médiocrité, l'homme existentiel n'a pas peur de proclamer son malaise dans un monde qui fait semblant. Et osant ainsi affronter la solitude, il en vient à découvrir une vie autre. L'existence, en l'occurrence.

L'existence pour Kierkegaard est l'autre nom de Dieu. Son fond est religieux. Quand un homme éprouve, selon lui, le besoin d'exister, c'est qu'il a découvert la transcendance. Il a découvert qu'il existe dans la vie une dimension supérieure qui dépasse tout et pour laquelle il convient de tout quitter, parce que seule cette dimension donne à l'homme sa véritable grandeur. Souvent, ce besoin de transcendance commence dans la passion. Les passionnés, comme Don Juan, qui se donne entièrement à la passion, sont sur le chemin de la transcendance, même s'ils prétendent le contraire. On trouve également ce rapport à la transcendance dans la morale, où des affamés et des assoiffés de justice, comme Socrate, sont prêts à tout donner afin de faire naître un monde d'hommes dignes de ce nom. Mais, surtout, c'est dans la religion que la transcendance s'accomplit, où là, la grandeur va à la grandeur et pas simplement à la passion ou à l'humanité. Alors, la grandeur se réalise vraiment et les hommes deviennent vraiment des vivants comme le Christ, qui est allé au bout de l'existence en supportant celle-ci jusque dans la mort.

« Si je devais demander qu'on mette une inscription sur mon tombeau je n'en voudrais pas d'autre que celle-ci : « Il fut l'Individu. » Et si ce mot n'est pas compris, il sera vraiment un jour… « L'Individu » : c'est la catégorie de l'esprit, du réveil de l'esprit, aussi opposée que possible à la politique. [...] « L'Individu » : cette catégorie n'a été utilisée qu'une fois, la première fois, avec une dialectique décisive, par Socrate, pour dissoudre le paganisme. Dans la chrétienté, tout au contraire, elle sera employée la seconde fois afin de faire des hommes (les chrétiens), des chrétiens. »
Kierkegaard, « L'Individu ».

En défendant ardemment l'existence, Kierkegaard a fait naître toute la critique moderne de la bonne conscience.

CULTURE   MONDE   APPROFONDIR

Marx et la critique du capital

Marx a pensé que l'accès à l'existence réelle passait nécessairement par la suppression de l'exploitation économique qui l'aliène.

De l'importance de la vigilance

La modernité se caractérise par une soif de sens que Hegel (1770-1831), Schopenhauer (1788-1860) et Kierkegaard (1813-1855) se sont efforcés de satisfaire. Mais elle se caractérise aussi par un trait majeur, à savoir le soupçon. Soupçonner veut dire porter une accusation contre quelqu'un, mais aussi deviner et pressentir. Ce qui est lié. On soupçonne au sens de critique, parce que l'on devine quelque chose qui est caché. Marx (1818-1883), Nietzsche (1844-1900) et Freud (1856-1939) ont été les grands maîtres modernes du soupçon. Car tous trois ont eu le sentiment, comme Kierkegaard d'ailleurs, qu'il n'est pas sain de vouloir se réconcilier trop vite avec le monde. Il faut ici ne pas chercher à contempler la nature. Il faut introduire dans la réalité un principe de lutte. À trop vouloir s'accorder avec le monde en le positivant, on risque d'être victime des apparences et de trouver dès lors bien ce qui est mal et mal ce qui est bien. D'où l'importance de garder l'œil ouvert et, pour cela, de pratiquer le soupçon.

L'expérience de la condition ouvrière

Marx s'est mis à pratiquer une critique active en faisant l'expérience de la condition ouvrière au XIXᵉ siècle. Adam Smith (1723-1790), le fondateur de l'économie politique classique, pensait qu'il existait une main invisible guidant l'économie en transformant la quête de profit individuel

QUEL | DU SUJET AU | VIVE

en altruisme (richesse pour tout le monde) à travers les entreprises auxquelles celui-ci pouvait donner naissance afin de se réaliser. Cette transmutation (transformation) magique est démentie par les faits, dira Marx. L'ouvrier enchaîné à sa machine, en subissant un travail abrutissant faisant de lui une machine, se déshumanise.

Tandis qu'il travaille ainsi sans gagner réellement sa vie du fait d'un salaire sous-évalué, rentiers et spéculateurs, eux, gagnent leur vie sans travailler grâce au mécanisme du marché qui leur permet de placer leur argent et de spéculer sur les échanges. Résultat, on vit dans un monde à l'envers, dont le comble réside dans le fait de passer pour un monde normal.

Marx a pensé que Adam Smith s'était laissé abuser par le libéralisme (la liberté donnée à l'économie). Parce qu'au cours de l'échange de marchandises par l'entremise de l'argent il est possible de rendre équivalentes des marchandises qui ne le sont pas, comme par exemple une paire de chaussures estimée à 500 francs qui a demandé dix heures de travail et une veste estimée également 500 francs qui en a demandé huit, certains font, comme on dit, «des affaires». Ils y gagnent. D'où l'aspect magique de l'argent et la croyance dans les vertus intrinsèques du marché.

Si la société dans son ensemble vit des contradictions criantes ainsi que dans l'irrationnel, toute la raison en vient de son fonctionnement économique qui, privilégiant le capital et la spéculation au détriment du travail, permet un enrichissement sur un mode magique par le biais d'échanges magiques. Le fait en particulier que les hommes aient une conscience à l'envers (que Marx a appelée une conscience mystifiée), qui les fait se passionner pour l'irrationnel, le hasard et les apparences, tout en demeurant indifférents aux injustices qu'il y a autour d'eux et hostiles à ceux qui les dénoncent, est une conséquence d'un tel état des choses. Aussi, la philosophie doit-elle comprendre que la lutte contre l'irrationnel ne doit pas simplement être une lutte théorique pratiquée par l'éducation, mais une lutte pratique consistant à faire reconnaître la valeur du travail. Son rôle doit être d'aider le retour à un monde d'hommes réels ayant des productions réelles.

«À travers la personne de l'ouvrier se manifeste de manière subjective le fait que le capital est l'homme qui s'est complètement perdu lui-même, comme dans le capital se manifeste de manière subjective le fait que le travail est l'homme qui s'est complètement perdu lui-même. L'ouvrier produit le capital, le capital le produit ; il se produit donc lui-même et l'homme en tant qu'ouvrier, en tant que marchandise, est le produit de tout le mouvement. Donc, dès que le capital s'avise de ne plus exister pour l'ouvrier, celui-ci n'existe plus pour lui-même, il n'a pas de travail, donc pas de salaire, et comme il n'a pas d'existence en tant qu'homme mais en tant qu'ouvrier, il n'a plus qu'à se faire enterrer, à mourir de faim. Hors du domaine de l'économie, les ouvriers sont des fantômes pour l'économie politique.»
Marx,
Les Manuscrits de 1844.

En luttant pour le retour à une existence réelle, Marx a défendu la valeur du travail contre celle du capital.

Nietzsche et la morale

Pour accéder à l'existence réelle, Nietzsche a montré qu'il faut se demander ce que la morale veut dire.

« La joie veut l'éternité de toutes choses, elle veut une profonde, une profonde éternité. »
Nietzsche, *Ainsi parlait Zarathoustra.*

Le paradoxe de la morale

Marx (1818-1883) a tenté de montrer qu'il existe une mystification de l'argent (*voir* pp. 34-35). Nietzsche (1844-1900) a montré, lui, qu'il pouvait y avoir une mystification de la morale et de la religion. Un signe le révèle selon lui : le fait qu'au nom de la morale et de la religion des dictatures aient pu être établies ainsi que des crimes commis. Un tel événement n'est pas un pur et simple accident. Pourquoi, alors que la religion devrait faire de l'homme un être lumineux, dispensant amour et beauté autour de lui, existe-t-il des hommes qui au nom de la religion sèment la haine et la terreur ? Pourquoi également, alors que la morale est l'exercice du sens de la droiture et de la dignité humaines à travers la pratique de la vertu, celle-ci est-elle devenue un conformisme social plus préoccupé de persécuter ceux qui n'ont pas l'apparence de cette vertu que de pratiquer la vertu elle-même ? Peut-on véritablement dire que ce ne sont là que des accidents ? Nietzsche a pensé que non. Si la religion et la morale se sont comportées ainsi, cela provient d'une certaine façon d'être religieux et moral qu'il convient de comprendre.

« Je vais dire quelle est la pensée qui doit devenir la raison, la garantie et la douceur de toute ma vie ! C'est d'apprendre à voir toujours davantage le beau dans la nécessité des choses : c'est ainsi que je serai de ceux qui rendent les choses belles. Amor fati : que ce soit désormais mon amour. Je ne veux pas faire la guerre au laid. Je ne veux pas accuser, même les accusateurs. Je ne veux plus, de ce jour, être qu'un affirmateur. »
Nietzsche, *Le Gai Savoir.*

Les deux morales

Il y a deux morales, dira Nietzsche. La morale des forts et celle des faibles.
La morale des forts consiste à vivre sans se plaindre, sans aigreur, sans haine, en disant oui à l'existence. La morale des faibles, elle, consiste à vivre en se plaignant tout le temps, dans l'aigreur et dans la haine. Pleine de rancœur à l'encontre de l'existence, cette morale des faibles n'aspire qu'à se venger, à régler des comptes et à vouloir « faire payer » quelqu'un. Aussi pense-t-elle toujours contre la vie, en la maudissant et en accusant telle ou telle partie de l'humanité d'être responsable de tout ce qui ne va pas.

QUEL | DU SUJET AU | VIVE

Historiquement, cette façon de se comporter a conduit à engendrer des sociétés fermées et bloquées pratiquant la logique du bouc émissaire et haïssant la création et la liberté.

C'est la raison pour laquelle Nietzsche a opposé ce qu'il appelle les faibles et les forts. La faiblesse de l'humanité a toujours résidé dans le fait de vivre « contre », sa force dans le fait de vivre « pour ». Selon lui, cette faiblesse est si tentante que c'est elle en définitive qui a fini par s'insinuer dans la religion, la morale, l'État et tous les degrés de la société, si bien qu'elle est devenue comme une seconde nature. D'où le déclin de la religion en morale à travers la mort d'une réelle expérience de Dieu, puis le déclin de la morale en conformisme social à travers la perte d'une réelle expérience de l'homme, et enfin la perte du sens même de la vie à travers la montée du nihilisme* : rien proclamant «À quoi bon!». Au lieu d'être un foyer de créations, d'élévations morales et spirituelles donnant envie de vivre, de penser et d'aimer, la culture est devenue un lieu de règlements de comptes où des esprits médiocres enseignent le dégoût de la vie sans que personne n'ose réagir. Si l'on veut pouvoir échapper à cette forme de décadence, dira Nietzsche, il importe de retrouver le sens véritable de la pensée qui est, avant tout, d'être sans haine. Être sans haine, en l'occurrence, ne veut pas dire tout aimer, mais cesser de pratiquer cette forme de pensée consistant continuellement à vouloir juger, demander des comptes, dénoncer, revendiquer.

Et ce, afin d'être capable, un jour, de vivre, en disant un simple mot : oui.

L'existence réelle, selon Nietzsche, passe par l'affirmation joyeuse de la vie et non par son dégoût nihiliste.

Freud et le moi

Pour Freud, le grand obstacle entre nous et l'existence réelle vient de notre amour narcissique du moi.

Un médecin au chevet de la culture

Marx (1818-1883) et Nietzsche (1844-1900) se sont comportés à leur façon comme des médecins au chevet d'un malade. Ils ont tenté d'analyser les symptômes développés par la civilisation de leur époque, convaincus du fait que celle-ci est malade, tant du fait de son organisation économique souvent irrationnelle que de sa morale ou sa religion trop conformistes. Freud (1856-1939) n'a pas agi autrement. Lorsqu'il a débuté sa pratique de médecin à Vienne en Autriche, il a eu affaire à des femmes du monde en proie à des crises d'hystérie. En les interrogeant, il s'est aperçu que ces crises provenaient de leur frustration sexuelle. Souffrant d'être délaissées par leur mari, sans oser parler de leurs désirs du fait de la domination d'une morale puritaine, celles-ci n'avaient pas d'autre moyen d'exprimer leur état que de basculer dans l'hystérie. Le corps était donc un langage. L'hystérie aussi. Prolongeant cette découverte, Freud est parvenu à la conclusion que l'être humain, avant d'être conscient, est un être de désir, dont la manifestation la plus évidente passe par le désir sexuel. Obligé toutefois de refouler ses pulsions sous peine de devenir un être asocial et inadapté à la vie, il ne peut jouir, comme il le souhaite, qu'en transformant son désir et en le sublimant à travers des voies de remplacement comme l'art, la science et la culture en général. Aussi est-ce au prix d'une dialectique* subtile que le désir parvient à se frayer une voie et à accomplir ses vœux. Quand c'est le cas, cette transformation donne lieu aux plus grandes créations humaines. Quand ce n'est pas le cas, les dysfonctionnements de la vie quotidienne, la névrose ou le délire deviennent les voies d'expression de ce désir qui n'arrive pas à vivre.

QUEL POINT FIXE ? | DU SUJET AU POINT DE VUE | VIVE LA LIBERT

> « L'homme s'est forgé quelque part au cœur de son moi un organe de contrôle qui surveille si ses propres
> émotions et ses propres actions sont conformes à ses propres exigences. Ne le sont-elles pas, les voilà
> impitoyablement inhibées et réprimées…
> Le psychique ne coïncide pas en toi avec le conscient. Qui pourrait estimer tout ce qui se passe dans ton âme
> dont tu ne sais rien ou sur quoi tu es faussement renseigné ? Tu te comportes comme un monarque absolu
> qui se contente des informations que lui donnent les hauts dignitaires de la cour et qui ne descend pas
> vers le peuple pour entendre sa voix. Rentre en toi-même profondément et apprends d'abord à te connaître,
> alors tu comprendras pourquoi tu vas bientôt tomber malade, et peut-être éviteras-tu de le devenir. »
> Freud, *Essais de psychanalyse appliquée.*

La maladie du moi

Au cours du développement du psychisme, il existe
un moment particulièrement délicat lié au narcissisme.
Le narcissisme désigne l'amour du moi. Un tel amour est
nécessaire. Entre le moment où il est aimé par ses parents
et le moment où il se met à aimer en dehors de sa famille,
l'enfant passe par une transition narcissique au cours
de laquelle il reporte sur lui-même les désirs qu'il ne projette
plus sur sa famille. Quand cette phase se prolonge, elle peut
aboutir à l'incapacité d'aimer autrui. Prisonnier alors de lui-
même, ce désir devient contradictoire, en compensant
un échec à aimer par un excès d'amour pour soi.
Le narcissisme peut bloquer la vie affective. Il peut bloquer
la vie tout court en devenant cette forme d'orgueil refusant
tout ce qui n'est pas soi. Quand c'est le cas, il aboutit
au refus des autres a travers un égoïsme exacerbé. Il aboutit
également au refus de la pensée, qui est en nous l'expression de la vie et de son dynamisme créateur. Socrate (470-
399 av. J.-C.), lorsqu'il a entrepris de penser et de faire
penser, s'est heurté au narcissisme de son époque. C'est pour
cela qu'il a ressenti la nécessité de devenir un accoucheur
des âmes. Freud, lorsqu'il a découvert l'inconscient à la fin
du XIXᵉ siècle, s'est heurté au même obstacle. Il a été
en butte aux attaques de tous ceux qui, prisonniers de leur
narcissisme, refusent les autres, mais aussi la vie créatrice
de la pensée comme du désir qui leur échappe. Avec l'humanisme, force est de constater que la culture occidentale
a favorisé l'expansion du narcissisme en glorifiant l'homme
et sa conscience. D'où l'importance de Freud sur le plan
de la pensée. La véritable pensée se comporte exactement
comme une psychanalyse réussie.

L'homme
est porteur de vie
à travers son
corps, mais il a
tendance à le nier
du fait de son moi
envahissant.
Avec la découverte
de l'inconscient,
Freud s'est efforcé
de reconstruire
le lien de l'homme
avec la vie.

Les Lumières en question

Certains penseurs du XXᵉ siècle ont pensé que le culte de la raison, produit par les Lumières, était responsable de la violence que l'on trouve dans le monde moderne.

L'idéal des Lumières*

La pensée moderne de la Renaissance (XVᵉ et XVIᵉ siècle) est née du souci de donner un rôle à l'homme afin que celui-ci se comporte de façon active, adulte et responsable en faisant quelque chose de sa vie. En poursuivant cet idéal, cette pensée a mis en avant un certain nombre de valeurs.

Avant tout, elle a cru qu'il était possible de bâtir un monde à visage humain en s'installant dans le monde lui-même, avec sa relativité, au lieu de fuir celui-ci vers quelque improbable absolu. D'où l'apparition de l'idée moderne de raison, dont Descartes (1596-1650) nous a montré qu'elle tire son origine d'un rapport d'évidence à soi-même transposé peu à peu au monde environnant. En conséquence de quoi, la pensée moderne a cru au progrès. Car, constatant que, en s'ordonnant à lui-même, l'homme cesse de faire le jeu de ce qui l'asservit (en profitant de sa passivité pour lui inculquer ignorance, superstition et peur) elle a pensé que celui-ci est perfectible et que le monde autour de lui pouvait l'être. De ce fait elle a imaginé que la lumière pourrait un jour remplacer l'obscurité en permettant à l'homme de vivre son humanité autrement que dans la terreur et les larmes.

Les Lumières face à l'Histoire

Dès son apparition, l'idéal des Lumières d'émanciper l'homme par la raison a été contesté par des esprits qui n'étaient pas d'obscurs conservateurs mais des humanistes eux-mêmes. Durant le XXᵉ siècle, cette contestation n'a cessé pour des raisons qu'il importe de ne pas sous-estimer.

En premier lieu, si l'homme a une dignité que l'on ne saurait contester et qu'il importe au plus haut point de défendre si l'on veut pouvoir éviter de régresser à la barbarie, ce n'est

« Si notre vie manque de soufre, c'est-à-dire d'une constante magie, c'est qu'il nous plaît de regarder nos actes et de nous perdre en considération sur les formes rêvées de nos actes, au lieu d'être possédés par eux. Cette faculté est exclusivement humaine. C'est l'infection de l'humain qui nous gâte des idées qui auraient dû demeurer divines… Toutes nos idées sur la vie sont à reprendre à une époque où rien n'adhère plus à la vie. Et cette pénible scission est cause que les choses se vengent. La poésie qui n'est plus en nous et que nous ne parvenons plus à retrouver dans les choses ressort par le mauvais côté des choses. »
Antonin Artaud,
Le Théâtre et son double.

pas cependant en faisant de l'homme et de ses droits une religion que l'on rendra un service à celui-ci. Au contraire. Ainsi que l'a fait remarquer Hannah Arendt (1906-1975), qui est l'une des grandes figures de la pensée politique de ce siècle, la religion de l'homme a transformé l'humanisme en totalitarisme en faisant de tout ce qui n'est pas l'homme un ennemi. Ainsi, la religion, la nature, mais aussi tous ceux qui sont hors normes parce qu'ils ne possèdent pas le profil type de l'homme ont été exclus par les promoteurs d'une humanité absolue se voulant sans Dieu, parfaite maîtresse de la Nature et pure.

Par ailleurs, le progrès s'est révélé être parfois un mythe destructeur.

Car, sous prétexte de progrès, le progrès n'a plus eu d'autre sens comme celui d'être le progrès du progrès, ce qui a eu pour effet de détruire toute mémoire mais aussi tout sens, toute valeur, toute limite et finalement toute morale.

Enfin, sous prétexte d'éliminer la haine et l'obscurité, la modernité s'est lancée dans un culte du bonheur refoulant des questions aussi essentielles que celles de la souffrance, de la mort et du sens de la vie, à propos desquels elle est souvent bien démunie.

Aussi n'est-ce pas un hasard si la pensée du XXᵉ siècle est revenue sur l'héritage de l'humanisme afin de demander quel homme, avec quelle raison, pour quel progrès et quel bonheur il importait que l'on construise. Ces questions qui ont été posées au tout début de ce siècle sont encore les nôtres aujourd'hui.

À la suite de la déshumanisation provoquée par les religions totalitaires du bonheur de l'homme sur la Terre, il importe de se demander quel homme, pour quel progrès et pour quel bonheur il convient d'agir.

Husserl et la crise des sciences européennes

Husserl s'est donné pour projet de repenser la connaissance, selon lui trop subjective et psychologique, ou trop objective et scientifique.

« La crise de l'existence européenne ne peut avoir que deux issues: ou bien le déclin de l'Europe dans l'aliénation qui la rend étrangère au sens de la vie rationnel qui est proprement le sien, la chute dans la haine de l'esprit et la barbarie; ou bien la renaissance de l'Europe à partir de l'esprit de la philosophie, dans un héroïsme de la raison qui y surmonte définitivement le naturalisme. Le plus grand péril pour l'Europe, c'est la lassitude. Combattons donc ce péril des périls avec cette vaillance que n'effraye pas un combat infini et nous verrons alors renaître des cendres de la grande lassitude le phénix d'une nouvelle intériorité de la vie, gage d'un grand et lointain avenir pour l'humanité: car l'esprit seul est immortel. »
Husserl, *La Crise des sciences européennes et la phénoménologie transcendantale.*

Les raisons d'une crise

Entre 1935 et 1937, Husserl (1859-1938) a écrit un ouvrage particulièrement important intitulé *La Crise des sciences européennes et la phénoménologie transcendantale.* Dans cet ouvrage, il a constaté que la science, aujourd'hui, est en situation d'échec malgré ses progrès. Car elle est incapable de donner au monde la philosophie et la sagesse dont celui-ci a besoin. Pire. Au nom de la raison, une certaine culture scientifique n'a de cesse de proclamer l'inutilité de la sagesse et de la philosophie, celles-ci n'étant pas assez «scientifiques».

Devant cette forme de barbarie consistant à exclure toute philosophie au nom de l'utilité et de la science, Husserl s'est demandé quelles en étaient les raisons. Celles-ci, répondra-t-il, sont doubles.

La première tient à l'abus de la logique qui a envahi la science. Qu'il faille qu'un énoncé soit logiquement construit afin de pouvoir se déployer et être communicable, c'est ce que nul ne saurait contester. Une pensée, pour se structurer et se communiquer, doit nécessairement se construire en obéissant à certaines règles. Toutefois, cela ne saurait suffire à en assurer le sens. Car, pour qu'il y ait pensée, il faut qu'il y ait en elle également du sens, c'est-à-dire une intention s'exprimant à travers la forme du discours, faute de quoi, bien que rigoureusement construite, cette pensée n'est plus qu'un formalisme creux.

L'autre obstacle que rencontre la pensée est lié, lui, à l'abus de la psychologie et de la référence au sujet. Qu'une pensée soit produite par un homme doté d'une certaine psychologie et réagissant à une situation concrète donnée, c'est ce que

QUEL POINT FIXE ? | DU SUJET AU POINT DE VUE | VIVE LA LIBERTÉ !

nul ne saurait contester également. Reste qu'une pensée ne peut pas se limiter à une impression personnelle à propos d'une situation concrète. Car, penser, c'est dégager le sens d'une situation en percevant ce qu'elle peut avoir d'essentiel et d'universel par rapport à l'homme et sa vie en général.

Le sens de la présence

Dans le savoir tel qu'il se présente, on ne cesse d'être ballotté d'un extrême à l'autre. Quand la science ne se réfugie pas dans un excès de logique, la subjectivité se complaît dans un excès de psychologie. D'où une crise. Celle de la culture, incapable de réconcilier les hommes et leurs expériences avec la science et sa rigueur. Et peu à peu un rejet de toute connaissance.

Afin d'enrayer cette mort lente, Husserl a pensé sortir de ce dilemme en revenant à la notion de présence. Car c'est elle qui permet de comprendre ce que connaître veut dire. Être une présence en effet, c'est avoir une âme, faire preuve de vie, de force existentielle. Mais c'est aussi être présent, c'est-à-dire lucide à propos de ce qui est en se représentant le monde en étant présent à celui-ci dans le présent de celui-ci. Quand on parvient à conjuguer ainsi la présence sous toutes ses formes, on accède à la véritable connaissance, qui consiste en ce que la raison nous rend plus conscients et la conscience plus savants.

Cette connaissance a existé dans le passé. Elle existe parfois, lorsque la pensée pense vraiment. Aussi est-ce vers elle qu'il importe de retourner en apprenant à vivre au présent en état de présence.

Sagesse =

Pour sortir de la crise qui frappe la connaissance, Husserl a proposé de retourner vers la présence qui est cette façon de penser dans laquelle la conscience rend savant et le savoir conscient.

CULTURE   MONDE   APPROFONDIR

Wittgenstein et l'ambiguïté des mots

Pour Wittgenstein, la crise de la connaissance est profondément liée à l'usage peu rigoureux que nous faisons du langage.

Les mots et les choses

Husserl (1859-1938) a rappelé au XXᵉ siècle que la culture était en crise parce que l'on ne savait plus être présent à ce que l'on pense. L'un des autres signes de cette crise réside dans le comportement que nous pouvons avoir avec le langage. Bien souvent, fera remarquer Wittgenstein (1889-1951), nous parlons sans avoir conscience de ce que nous disons. Le langage est une chose. La réalité en est une autre. Si le langage permet de figurer la réalité, il n'en est jamais qu'une figure. D'où ses limites et le fait que la réalité nous échappe toujours. À proprement parler, celle-ci est indicible. En matière de religion, avec la mystique (qui est ce domaine de la religion renvoyant à l'expérience intérieure de celle-ci par la prière et la contemplation), il est rappelé que Dieu étant au-delà de tout langage parce que situé au-delà de tout, le seul langage qui reste communicable consiste pour le mystique à devenir par sa vie entière un signe et, par là même, un témoignage de Dieu. En fait le mystique ne parle pas, il se montre; le mystique ne fait pas de discours sur la foi, il est une foi vivante. Wittgenstein a pensé d'une façon analogue en ce qui concerne la réalité. En dehors

QUEL | DU SUJET AU | VIVE

de ce que l'on peut en dire à travers la figuration que nous permet le langage, la dimension divine de l'existence ne peut être que montrée. D'où la nécessité de revenir de façon critique sur ce que la philosophie a appelé l'être et dont elle s'est voulue la science à travers la métaphysique définie par Aristote (384-322 av. J.-C.) comme « science de l'être en tant qu'être ».

Les ambiguïtés du mot « être »

Le mot « être » en effet est un terme ambigu. Car il signifie deux choses. D'un côté, il désigne ce qui existe d'une façon sensible. D'un autre côté, il est un instrument intellectuel permettant de relier un sujet (par exemple Socrate) avec ses prédicats (par exemple homme) de façon à pouvoir identifier celui-ci (par exemple Socrate est un homme). D'où le double sens de ce terme à cheval entre le vécu et le conçu. Et, de ce fait, la nécessité de prendre garde à trois erreurs possibles. En premier lieu, ce n'est pas parce que l'on vit quelque chose de fort que l'on a la maîtrise scientifique de cette expérience au sens scientifique de ce terme. Par ailleurs et inversement, ce n'est pas parce que l'on connaît beaucoup de choses que l'on a pour autant une expérience de la vie. Enfin, d'une façon générale, ce n'est pas parce que nous sommes capables de vivre et de penser que nous sommes pour autant en mesure de tout vivre et de tout penser.

Le réel résiste à notre appréhension. Tout en lui n'est pas pensable. La pensée résiste, également, à notre appréhension. Tout en elle n'est pas réalisable. Il y a d'une façon générale une résistance de l'être qui n'est pas totalisable mais irréductible. Quand on veut, en fait, l'ignorer, on bascule dans l'illusion, l'obscurité et finalement la violence. Quand on l'accepte, ce sens de l'irréductible nous fait déboucher sur la nuance, la finesse, le sens de l'impalpable, celui de l'indicible et au bout du compte sur la modestie qui est cette merveilleuse qualité consistant à savoir s'effacer devant l'existence afin de la laisser parler et respirer.

Le drame de la science est de l'avoir trop longtemps ignoré. Elle a brisé l'irréductible en voulant faire une science de tout y compris de l'être. C'est la raison pour laquelle la culture est en crise.

« Il y a bel et bien de l'inexprimable. Il se montre. Il est mystique. La méthode correcte en philosophie serait à proprement parler celle-ci : ne rien dire sinon ce qui se laisse dire, c'est-à-dire des propositions de la science de la nature – ainsi donc quelque chose qui n'a rien à voir avec la philosophie – et puis, à chaque fois qu'un autre voudrait dire quelque chose de métaphysique, lui montrer à certains signes qu'il n'a pas assez donné de dénotation… Ce dont on ne peut parler, là-dessus, il faut se taire. » Wittgenstein, *Tractatus logico-philosophicus*.

Selon Wittgenstein, la culture est en crise parce qu'elle a perdu le sens des limites du langage en prétendant faire une science de tout.

CULTURE   MONDE   APPROFONDIR

Bergson et la durée

Selon Bergson, le temps, synonyme de vie et de durée, est créateur. La culture moderne, marquée par la science, a oublié ce sens créateur de la vie. Aussi convient-il de le retrouver.

La technique et l'espace

Si la culture du XXe siècle est en crise faute d'un rapport vécu à l'existence et de rigueur dans l'usage que l'on peut faire de la connaissance et du langage, l'approche purement utilitaire des choses (ou si l'on veut la technique) reste néanmoins un facteur important de cette crise. C'est ce que rappelle notamment Bergson (1859-1941). Selon lui, on peut distinguer deux types de rapport au monde.

Le premier est technique. Le second est créatif.

Le propre de la technique est de vouloir agir sur le monde. Pour ce faire, sa démarche va consister à fixer les choses afin de pouvoir en faire des objets manipulables par des instruments techniques (ce par quoi nous pouvons transformer la réalité : outils, machine, par exemple). Elle va par ailleurs abstraire ces mêmes choses en ne retenant de celles-ci que les éléments manipulables, à savoir essentiellement les caractères généraux. Enfin, elle va s'efforcer de tout ramener à une représentation visible décomposable géométriquement. Pour le mode de pensée technique, autrement dit, ne compte que ce qui est fixable, manipulable, généralisable et représentable. Toute la vision technique, en ce sens, se déploie sous le signe de l'espace, manifestation par excellence de l'immobile et du figé. Ce qui est réducteur, fera remarquer Bergson. Car la vie ne nous montre-t-elle

« L'humanité gémit, à demi écrasée sous le poids des progrès qu'elle a faits. Elle ne sait pas assez que son avenir dépend d'elle. À elle de voir d'abord si elle veut continuer à vivre. À elle de se demander ensuite si elle veut vivre seulement, ou fournir en outre l'effort pour que s'accomplisse, jusque sur notre planète réfractaire, la fonction essentielle de l'univers, qui est une machine à fabriquer des dieux. »
Bergson, *Les Deux Sources de la morale et de la religion.*

QUEL | DU SUJET AU | VIVE

pas autre chose ? N'est-elle pas, par définition, mouvante, pleine de nuances ainsi que proprement indicible dans la diversité ainsi que la qualité de ses manifestations ?

La création et le temps

Il existe une autre façon de saisir l'existence que celle qui consiste à la manipuler techniquement. C'est celle que l'on trouve dans l'émotion esthétique. Quand on fait une expérience esthétique (devant un tableau, en écoutant de la musique où lors de la contemplation d'un coucher de soleil, par exemple), on commence par se laisser pénétrer par les choses et par pénétrer en elles à travers un phéno-mène d'interpénétration comparable à une sorte de mariage (avec le tableau, la musique ou la nature), au lieu de les objectiver. Alors, de cette interpénétration monte une ouverture sur la qualité des choses, dans laquelle l'indi-vidualité de celles-ci se révèle à travers mille facettes.

Tous ceux qui, comme Marcel Proust (1871-1922) ont fait l'expérience d'une telle qualité, ont pu constater que la qualité intensément vécue d'une chose a une vie propre. Celle-ci dure en nous en se mémorisant et en s'imaginant de mille façons inattendues, si bien que l'on est amené à retrouver cette émotion, ici et là, à l'occasion des hasards de la vie. Par une telle approche intuitive, nous en apprenons mille fois plus sur l'existence que par la technique. Aussi serait-il urgent que la culture cesse d'aller chercher sa sagesse dans la technique afin d'aller la trouver dans l'intuition qui sait ainsi durer de façons multiples. Car c'est par ce biais-là que nous touchons à l'essence des choses. Et surtout, c'est à cette occasion que nous devenons en mesure de libérer notre potentiel créatif.

La civilisation a refoulé un tel potentiel en cherchant partout à opérer techniquement sur les choses et les êtres afin d'en tirer de l'utile et du profit. Il importe de faire le chemin inverse en retournant à ce potentiel créatif par la pratique d'un art de la durée.

Un tel art ne consiste pas à rappeler un souvenir mais à faire durer les choses comme un gourmet déguste un bon vin. En laissant durer le plaisir. En donnant du temps au temps.

L'expérience de la madeleine
Marcel Proust, en savourant une madeleine, a retrouvé un souvenir de son enfance. Il a réalisé, par là même, que la mémoire triomphe du temps. Cet épisode célèbre est narré dans *À la recherche du temps perdu*.

Selon Bergson, en privilégiant l'espace au détriment du temps afin de pouvoir manipuler techniquement le monde, la culture scientifique a perdu l'art de savoir faire durer la vie qui fait toute la qualité de celle-ci.

CULTURE   MONDE   APPROFONDIR

Bachelard et le nouvel esprit scientifique

Selon Bachelard, il n'y a pas trop de science. Il n'y en a pas assez au contraire, car l'esprit scientifique délivre par l'originalité de sa démarche de véritables leçons de sagesse.

« L'allure révolutionnaire de la science contemporaine réagit profondément sur la structure de l'esprit. L'esprit a une structure variable dès l'instant où la connaissance a une histoire. L'histoire humaine peut bien, dans ses passions, dans ses préjugés, dans tout ce qui relève des impulsions immédiates, être un éternel recommencement ; mais il y a des pensées qui ne recommencent pas ; ce sont les pensées qui sont rectifiées, élargies, complétées. Elles ne retournent pas à leur aire restreinte ou chancelante. L'esprit scientifique est essentiellement une rectification du savoir, un élargissement des cadres de la connaissance… Toute la vie intellectuelle de la science joue dialectiquement sur cette différentielle de la connaissance, à la frontière de l'inconnu. L'essence même de la réflexion c'est de comprendre qu'on n'avait pas compris. » Bachelard, Le Nouvel Esprit scientifique.

L'image : un obstacle pour la connaissance

Si beaucoup de penseurs ont fait la critique de la science, en tenant celle-ci pour responsable de la crise de la culture, cela n'a pas été le cas de tous les penseurs. Certains d'entre eux, comme Bachelard (1884-1962), ont souligné que si crise il y a, la raison en provient de notre manque de science. Car le problème n'est pas tant que la science tienne lieu de philosophie, qu'une certaine philosophie tienne lieu de science.

Les hommes, constate Bachelard, ont une tendance naturelle à se fonder sur ce qu'ils peuvent voir ou toucher, c'est-à-dire au fait de dériver un savoir des expériences subjectives qu'ils peuvent faire. En conséquence de quoi, prenant les images des choses pour les choses elles-mêmes, ils ont tendance à figer le savoir. Par exemple, l'image maternelle et intime de la nature a engendré une approche sentimentale de celle-ci qui a freiné sa compréhension objective. Les images nées de nos intuitions au sujet des choses sont des obstacles épistémologiques, c'est-à-dire des entraves au progrès de la science qui en grec se dit *episteme*. En parlant à nos désirs intimes plus qu'à notre raison, elles nous font vivre dans un climat de fausses évidences. À cette duperie, il importe donc d'opposer un retour au vrai cheminement du savoir, en pratiquant une rupture épistémologique. Celle-ci se produit à chaque fois que nous entreprenons de nous dépayser en nous apercevant que les choses ne sont pas ce que nous croyons mais ce que nous aurions dû penser. Les philosophes, à cet égard, seraient bien avisés de faire de l'épistémologie*, c'est-à-dire de l'histoire des sciences. Ils y découvriraient quantité d'occasions

de se dépayser et d'aug-
menter ainsi leur sagesse.
Aristote (384-322 av. J.-C.)
a dépaysé la culture
de son temps plongée
dans le mythe en lui
enseignant à voir
le monde tel qu'il est.
Newton (1642-1727)
a dépaysé la culture
de son siècle en renonçant
à expliquer le monde par
des causes afin d'en comprendre simplement les lois.
Et la science contemporaine nous dépayse quand elle nous
apprend qu'il n'y a pas qu'un principe gouvernant la nature,
puisqu'il est possible d'interpréter doublement le phénomène de la lumière, en choisissant soit la théorie corpuscu-
laire, soit la théorie ondulatoire.

Le nouvel esprit scientifique

Il existe à l'heure actuelle un nouvel esprit scientifique que
les philosophes ont manqué, à force de critiquer les mauvais
aspects du progrès technique. Aujourd'hui, un savant
ne pense plus avoir affaire à un réel donné une fois pour
toutes. Il sait que tout est interdépendant. Un phénomène
a une histoire. Il est modifié par son contexte qu'il modifie
à son tour. Quand on l'étudie, il faut savoir que l'observateur
modifie le phénomène observé, si bien qu'il n'est pas exagéré
de dire que la science constitue son objet. Et ce, d'autant
plus que les conditions d'appréhension de celui-ci sont
de plus en plus dépendantes des progrès techniques, qui
affinent la perception que l'on peut en avoir. Tout est mouvant, autrement dit multiple, varié. Aussi, pour connaître,
faut-il sans cesse être capable de revenir sur ce que l'on
pense afin de le rectifier. D'où de continuelles révolutions
de la part de l'esprit scientifique, bien loin d'être cet esprit
monolithique tant décrié. Comment dès lors pourrait-on
accuser la science de tous les maux ? Ceux qui intentent
ce procès à la science parlent d'une science qui n'est plus.
Ils retardent d'une science.

Dépaysé
Ce terme renvoie
au fait de déplacer
un domaine culturel
par de nouvelles
vues théoriques
créant de nouveaux
effets de pensée.
Einstein,
par exemple,
a dépaysé
la science
en imaginant ce qui
se passerait si l'on
observait le monde
en voyageant
dans l'univers
à la vitesse
de la lumière.

Il n'y a pas
de crise à cause
de la science,
selon Bachelard.
Car celle-ci,
en se mettant
continuellement
en crise,
est bien plutôt
ce qui triomphe
de la crise.

CULTURE   MONDE   APPROFONDIR

Le structuralisme

En voyant la réalité comme un foyer de relations, un grand mouvement de pensée est né après la Seconde Guerre mondiale en développant l'idée que tout est rapport, signe et langage. Ce mouvement de pensée, qui a pris le nom de structuralisme, est parvenu à la conclusion que tout est langage.

« Nous sommes habitués, presque conditionnés à une certaine distinction ou à une certaine corrélation entre le réel et l'imaginaire. Or, le premier critère du structuralisme, c'est la découverte et la reconnaissance d'un troisième ordre, d'un troisième règne : celui du symbolique. C'est le refus de confondre le symbolique avec l'imaginaire, autant qu'avec le réel qui constitue la première dimension du structuralisme. Là encore, tout a commencé par la linguistique : au-delà du mot dans sa réalité et ses parties sonores, au-delà des images et des concepts associés aux mots, le linguiste structuraliste découvre un élément d'un tout autre ordre. Au-delà de l'histoire des hommes et de l'histoire des idées, M. Foucault découvre un sol plus profond, souterrain, qui fait l'objet de ce qu'il appelle l'archéologie de la pensée. »
Gilles Deleuze, « À quoi reconnaît-on le structuralisme ? »

À l'origine, le langage

Au XIXe siècle, s'interrogeant sur le langage, Wilhelm von Humboldt (1767-1835), philosophe et linguiste, a eu l'idée de mettre en parallèle la structure phonétique de la langue indienne du sanskrit et celle des langues européennes. Constatant une similitude de structure, il en a déduit qu'il existait une filiation des langues européennes par rapport aux langues indiennes. De ce fait, à l'origine de l'Europe, il fallait conclure qu'il avait dû y avoir une invasion de populations venues d'Inde.

Au début du XXe siècle, Ferdinand de Saussure (1857-1913), fondateur de la linguistique moderne, a eu l'idée, pour comprendre le fonctionnement du langage, d'utiliser la même méthode. Partant de l'analyse phonétique du langage, il a conclu que celui-ci est un système de signes, où, chacun étant ce que ne sont pas les autres, le sens est produit par une combinaison à chaque fois renouvelée de ces signes.

Plus récemment, un ethnologue comme Claude Levi-Strauss, un psychanalyste comme Jacques Lacan (1901-1981) et un philosophe comme Michel Foucault (1926-1984) ont eu l'idée de partir des relations formelles et des combinaisons de signes décelables dans leur discipline, en se demandant si on ne parviendrait pas à résoudre ainsi certaines difficultés en envisageant le mythe, l'inconscient ou le savoir comme des langues. Cette méthode a été couronnée de succès en produisant des résultats aussi féconds qu'inattendus.

Les signes du monde

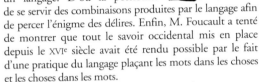

Ainsi, Claude Levi-Strauss a fait apparaître qu'il existait une logique du mythe liée à la mise en place de tout un système de classification des relations de parenté dans la société où vit le mythe. J. Lacan, de son côté, a fait apparaître qu'il existe une logique de l'inconscient structuré comme un langage. D'où la possibilité de se servir des combinaisons produites par le langage afin de percer l'énigme des délires. Enfin, M. Foucault a tenté de montrer que tout le savoir occidental mis en place depuis le XVIᵉ siècle avait été rendu possible par le fait d'une pratique du langage plaçant les mots dans les choses et les choses dans les mots.

On pourrait résumer le structuralisme en disant que nous ne parlons pas, mais que nous sommes parlés. Nous sommes parlés par nos désirs et notre corps. Nous sommes parlés par les jeux de relations sociales dans lesquelles nous sommes inscrits. Nous sommes parlés par les savoirs et les représentations exprimant les pratiques dans l'« air du temps ». De ce fait, concluera Roland Barthes (1915-1980), grand critique de littérature, il faut se représenter le monde comme une sorte de grande machine productrice de signes et conférer à une nouvelle science, la sémiologie, le soin de les interpréter. Car, en définitive, tout est signe. Tout signifie. Même le non-sens, lequel est toujours un révélateur des crises sociales, psychologiques ou intellectuelles.

Très léger, presque joueur dans sa démarche, le structuralisme incarne bien la modernité selon Gilles Deleuze (1925-1995). Il a été, dès son apparition, un stimulant incomparable pour la vie des idées, en délivrant toute une richesse d'interprétations ignorées jusqu'alors. Il a aussi posé la question du pouvoir en faisant apercevoir que les signes vivent d'une vie riche, pour autant qu'ils ne rencontrent pas sur leur passage soit le refus d'interpréter les choses, soit la volonté d'imposer un sens unique.

> Le structuralisme a éclairé le mythe, l'inconscient ou le savoir d'un jour nouveau, en les envisageant comme des jeux de langage renvoyant à des jeux sociaux.

Heidegger et l'oubli de l'être

Selon Heidegger, la vision utilitaire du monde nous fait oublier la liberté du réel, ainsi que la liberté de pensée, du langage et du vécu.

La signification de l'être

Husserl (1859-1938) a fait de la notion de présence la notion centrale de sa philosophie, afin de surmonter l'opposition qui existe entre l'objectivité et la subjectivité, c'est-à-dire entre la science et les hommes. À la suite de Husserl, Heidegger (1889-1976) a repris l'analyse de cette notion de présence afin de l'approfondir. La présence, dira-t-il, n'est pas que la présence d'un homme à lui-même, au monde et aux autres hommes. La vie est présence. Elle est présence à elle-même en se donnant à elle-même à tous les instants. C'est ce qu'il faut entendre par la notion d'être.

L'être désigne la réalité d'une chose qui existe. L'être désigne aussi la pensée qui identifie les choses en disant ce qu'elles sont. L'être désigne enfin le plein accomplissement de la réalité comme de la pensée. Cet accomplissement, on le trouve dans une certaine manière de se rapporter à la réalité comme à la pensée. Une manière poétique, en l'occurrence, qui consiste pour la réalité à avoir une âme, pour la pensée à être vivante, pour le réel et la pensée à être «pleins», «habités», c'est-à-dire accomplis dans la plénitude de leurs possibilités.

Si la philosophie est apparue en Occident, c'est que des hommes ont un jour fait l'expérience de cet état dense de l'existence. Ils se sont mis à penser, parce qu'ils ont été en présence d'une ouverture proprement extraordinaire sur la vie, qui leur a fait conclure que l'existence authentique réside dans cet état de l'être.

Le drame de la pensée technique

Avec l'avènement de la pensée utilitaire cherchant à tirer un profit de toutes choses, ce rapport à la vie s'est obscurci. La technique dont parle Heidegger ne renvoie pas aux

« Pourquoi y a-t-il quelque chose et non pas plutôt rien ? Telle est la question que nous nous posons à certains moments d'ennui, où tout s'obscurcit ou dans certains moments de joie, parce que tout s'est métamorphosé. Nous soutenons que cette question est proprement la vraie question de la philosophie, parce qu'elle conduit à s'interroger sur l'existence dans sa totalité. Il est arrivé à Nietzsche de dire : « Un philosophe : c'est un homme qui ne cesse de vivre, de voir, de soupçonner, d'espérer, de rêver des choses extra-ordinaires. » Il lui est arrivé de dire également : « La philosophie… c'est la vie libre et volontaire dans les glaces et la haute montagne. » Heidegger, Introduction à la métaphysique.

machines. Il s'agit essentiellement d'une façon de penser qui cherche partout le profit et l'utile. Celle-ci ne sait plus regarder la vie pour elle-même. Et, ne regardant plus la vie pour elle-même, elle réduit tout. Au lieu de penser, elle abstrait les choses par des vues «intellectuelles» et «cérébrales» comme on dit. Au lieu de vivre, de faire de réelles expériences, elle est «terre à terre» comme on dit également, confondant l'expérience de la vie avec des préoccupations de confort matériel. Enfin, au lieu de faire de la vie quelque chose que l'on accomplit, elle fait de celle-ci quelque chose que l'on divise en la vivant de façon «cérébrale» et «terre à terre».

Cette vision de la vie a triomphé dans la culture. Si l'on veut pouvoir retrouver le sens d'une vie authentique, il importe, donc, que nous fassions retour à l'être. Pour cela, seul un retour à un rapport poétique à l'existence pourra nous renseigner ce que le réel, la pensée et le vécu sont véritablement. La poésie, qui vient du grec *poïesis*, désignait à l'origine la fabrication artisanale d'un objet mais aussi la création dans le langage. Était poétique un mot qui était utile pour la vie, un outil qui avait une âme, une vie qui n'opposait pas le geste et la parole. Une telle vie s'appelle une œuvre. C'est ce sens de l'œuvre qui nous manque. L'homme moderne est désœuvré. Il s'ennuie dans un monde qui ne lui dit rien, parce que les outils ne parlent plus, que les paroles sonnent creux et que le sentiment d'œuvrer avec les autres dans une grande œuvre commune donnant sens à notre présence sur Terre n'existe pas. C'est ce qu'a voulu dire Heidegger, en disant que nous sommes dans l'oubli de l'être.

La recherche de l'utile à propos de tout nous fait passer, selon Heidegger, à côté d'une vie dans laquelle les outils ont une âme, les mots veulent dire quelque chose et l'homme a le sentiment que sa vie est une œuvre.

Levinas et le sens du visage

Pour humaniser l'existence, il faut selon Emmanuel Levinas ne pas être indifférent aux autres. Une telle capacité donne aux hommes un visage, qui est la véritable expression de l'humanité.

La violence de l'indifférence

La réflexion sur la crise de la culture au XXe siècle a conduit Husserl (1859-1938) à méditer sur la présence, et Heidegger (1889-1976) à méditer sur l'être. Selon E. Levinas (1906-1995), il importe d'aller plus loin encore. Car le véritable problème que soulève le défaut de présence et d'être que l'on trouve dans la culture moderne renvoie plus en profondeur à la question de l'indifférence.

L'indifférence est cette façon froide de poursuivre son chemin sans se préoccuper de ce qui se passe autour de soi, et en particulier d'autrui. Cette indifférence, on la trouve chez l'individualiste qui vit égoïstement replié sur lui-même. On la trouve aussi dans une certaine façon de rationaliser les choses comme le font la science et la technique qui, au nom de la raison, ne font pas, comme on dit, de «sentiment». C'est la raison pour laquelle il n'est pas pertinent de croire que l'on pourra remédier à la crise de la culture contemporaine par davantage d'individualisme ou de science. Selon Levinas, le problème est ailleurs. Il s'agit de sortir de l'indifférence. Comment? En revenant sur la signification de l'homme.

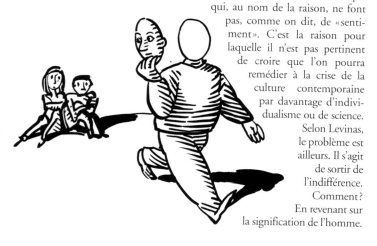

l'humanité du visage

Selon Levinas, si la vie a pu apparaître un jour avec en son cœur l'humanité, c'est que quelque chose a su briser l'indifférence du néant d'abord, puis celle de la matière, la vie biologique, sociale et psychologique, afin de donner naissance à une humanité pleine. Ce quelque chose est un mystère que l'on désigne sous le nom de Dieu.

La signification de Dieu en philosophie est proprement révolutionnaire. Car, si l'on admet qu'à la base de toute la réalité il y a un principe de non-indifférence, cela veut dire qu'il y a à la base de la réalité un principe moral et religieux. La morale et la religion sont en effet par définition une non-indifférence, l'une aux hommes, l'autre à Dieu.

En conséquence de quoi, ce ne sont pas la morale et la religion qui sont des inventions des hommes mais les hommes qui sont des inventions de la morale et de la religion. Notre expérience ne l'atteste-t-elle pas ? L'humain ne jaillit-il pas à chaque fois que nous ne sommes pas indifférents les uns aux autres ? N'est-ce pas le sens de l'ouverture au mystère de la vie qui a engendré les plus grandes créations et nourri les plus grands engagements ?

La non-indifférence est ce qui fait que le monde a un visage au lieu d'être informe. Qu'il n'y ait toutefois pas de confusion. Parler du visage, ce n'est pas parler de la face avec les yeux, le nez et la bouche. C'est parler d'une attitude d'esprit consistant à avoir une suprême attention à tout ce qui est vivant et humain. Dans la Bible, la Loi qui est le cœur de la Bible est ce que les lecteurs doivent étudier sans cesse. La Loi, en ce sens, et le visage sont une seule et même chose. On est dans le visage toutes les fois que l'on est dans l'étude et on est dans l'étude toutes les fois que l'on est dans le visage.

Au cours du XXᵉ siècle, le monde a perdu son visage parce que des logiques aveugles ont pratiqué l'indifférence à tout ce ne s'accordait pas avec elles. Cela doit nous rappeler que le monde demeure humain à chaque fois qu'il oppose à l'indifférence cette non-indifférence qu'est une vive attention à la vie en face de soi.

« L'impossibilité de tuer n'a pas une signification simplement négative et formelle ; la relation avec l'infini ou l'idée d'infini en nous la conditionne positivement. L'infini se présente comme visage dans la résistance éthique qui paralyse mes pouvoirs et se lève dure et absolue du fond des yeux sans défense dans sa nudité et sa misère. La compréhension de cette misère et de cette faim instaure la proximité même de l'Autre. »
Levinas, *Totalité et Infini*.

Le visage, selon Levinas, c'est la forme que prend la vie à travers l'attention donnée à ce qui est en face de soi.

CULTURE   MONDE   APPROFONDIR

le bel aujourd'hui

Le monde moderne, malgré les difficultés qu'il traverse, est riche et plein de promesses. Sans perdre pour autant notre vigilance critique à son égard, il n'y a aucune raison d'être pessimiste quant à son avenir.

Deux images fausses

Il existe deux images fausses concernant la modernité. La première est celle qui consiste à la diaboliser. La seconde est celle qui consiste à la sacraliser.

Ceux qui la diabolisent sont ceux qui sont tentés, face aux tensions du présent, par la nostalgie d'un passé qu'ils idéalisent, en oubliant qu'aucune nouveauté n'a jamais jailli sans désordre et qu'hier il y avait les mêmes tensions que nous connaissons aujourd'hui. Ceux qui, à l'inverse, sacralisent la modernité, sont ceux qui, face aux réussites du présent, se mettent à idéaliser celui-ci en oubliant qu'hier déjà de grandes choses existaient sans lesquelles les nouveautés d'aujourd'hui n'auraient jamais pu voir le jour.

L'esprit moderne

De fait, la modernité n'est pas ce que l'on croit. Tout n'a pas commencé avec elle et rien ne s'achève avec elle non plus. Le penser c'est avoir une conception totalitaire du présent à l'égard du passé et du passé à l'égard du présent. C'est aussi, à travers une volonté d'enfermer le passé dans le présent ou le présent dans le passé, céder à la tentation de figer le temps afin de conserver en lui un souvenir ou un désir.

« Chaque chose, autant qu'il est en elle, s'efforce de persévérer dans son être. L'effort par lequel chaque chose s'efforce de persévérer dans son être n'est rien en dehors de l'essence actuelle de cette chose. L'Âme, en tant qu'elle a des idées claires et distinctes et aussi en tant qu'elle a des idées confuses, s'efforce de persévérer dans son être et a conscience de son effort. Un homme libre ne pense à aucune chose moins qu'à la mort et sa sagesse est une méditation non de la mort mais de la vie. »
Spinoza, l'*Éthique*.

QUEL | DU SUJET AU | VIVE

Pour qui sait regarder les choses avec sagesse, la modernité a commencé bien avant la modernité, lorsque des hommes ont entrepris de faire quelque chose de leur propre vie en pensant. En ce sens, les premiers de nos Modernes sont les Anciens, dont Pascal (1623-1662) a eu raison de dire qu'ils incarnaient la jeunesse de l'esprit. Nous sommes des nains, dira-t-il, montés sur des épaules de géants.

De même, le passé ne s'est pas achevé avec l'apparition du nouveau du monde moderne. Il vit encore parmi nous, de mille façons. Ainsi que l'ont compris Bergson (1859-1941) et Proust (1871-1922), tout ce qui a de la qualité sait durer en se mémorisant et en s'imaginant selon une vie propre qui ne cesse de resurgir dans le présent. Aussi Pascal a-t-il eu raison de dire que la modernité est la maturité du passé, voire sa vieillesse. Les Anciens sont parmi nous, aujourd'hui, et non hors de nous, dans le passé.

Le temps n'est pas ce que l'on croit. Le présent n'est pas la négation du passé, ni le passé la négation du présent. Il a fallu beaucoup de jeunesse aux Anciens pour être ce qu'ils ont su être, comme il a fallu beaucoup de vieillesse et de maturité aux Modernes pour être modernes. En ce sens, passé et présent sont inséparables. Sans le passé qui la précède, la modernité n'aurait jamais existé et le passé lui-même n'existerait plus s'il n'y avait pas, après lui, un présent qui le fasse vivre. Tout est lié, passé et présent, parce que, dans la vie de l'esprit, rien n'est jamais fini et rien ne commence vraiment. Tout commence toujours et tout recommence toujours parce que tout continue toujours. Si le génie des Anciens est d'avoir su commencer, le génie des Modernes est d'avoir su recommencer, afin de faire vivre le seul message qui importe: celui de continuer de vivre. Un vrai sage est un homme vivant qui donne aux autres le goût de vivre, parce qu'un jour, à la faveur d'une rencontre et d'une pensée, il a découvert une force extraordinaire à travers les choses et les événements. De ce fait, il n'aime pas telle ou telle partie du temps, mais tout le temps. Aussi vit-il avec le passé et enseigne-t-il à respecter le présent. Car le présent est riche. Pour qui sait lui être présent, il a la vive fraîcheur d'un huit heures du matin.

« **Les Anciens** »
Ce terme désigne les penseurs de l'Antiquité qui ont ouvert les voies de la sagesse. Il signifie avant tout les premiers penseurs, et non les vieux penseurs.

La modernité, qui est la maturité de l'esprit, a compris que tout recommence toujours parce que la vie continue à travers l'esprit.

CULTURE   MONDE   APPROFONDIR

Glossaire

Aliénation : fait d'être devenu étranger à soi, soit du fait d'un mécanisme d'oppression économique et social, soit du fait d'un conflit intérieur que l'on n'est pas parvenu à surmonter et qui s'exprime dans la névrose ou le délire.

Conscience : faculté psychologique d'être éveillé. Faculté morale de pouvoir discerner le Bien du Mal et d'être responsable. Caractère métaphysique irréductible de l'homme exprimant sa liberté ainsi que son caractère irréductible et irremplaçable.

Contrat social : fait de conclure un pacte de non-agression ou d'entraide mutuelle afin d'augmenter sa force personnelle par l'entremise de la force commune. Fondement de la démocratie moderne en permettant un État libre.

Dialectique : provient du mot « dialogue ». Fait de parvenir à l'unité et au vrai par le dialogue. Par extension, mouvement logique de l'esprit consistant à transformer les positions figées et opposées pour les dynamiser et les unir.

Dogmatisme : provient de « dogme », qui est la vérité indiscutable de la Révélation admise par la foi. Par extension, attitude qui consiste dans le fait d'affirmer un certain nombre de propositions sans les démontrer. Péjorativement, attitude autoritaire dans le discours, n'admettant pas la discussion ni la critique.

Durée : caractère créateur du temps que l'on trouve dans l'art de faire durer les choses. À la base de la mémoire créatrice.

Empirisme : provient du terme grec qui signifie expérience. Fait de fonder la connaissance humaine sur l'expérience subjective, vécue du monde sensible, et non sur l'abstraction et les idées. S'oppose à toute vue générale.

Épistémologie : discipline philosophique qui étudie la formation de la connaissance scientifique à travers son histoire ainsi que la diversité de ses formes.

État : expression de la volonté générale d'une société qui cherche à se représenter à travers des institutions et des hommes, afin de pouvoir décider et agir.

État de nature : état de l'humanité avant l'apparition de l'État. Est considéré comme violent ou pacifique.

Être : désigne l'existence concrète, la pensée qui permet d'identifier les choses et de dire ce qu'elles sont, l'accomplissement du vécu et du conçu.

Existence: fait de sortir de soi, de se dépasser, de se transcender soit pour vivre concrètement hors de l'abstrait, soit pour vivre idéalement. D'où, relation à la liberté.

Idéalisme: courant de pensée reposant sur le fait de poser les idées comme principe. Les idées ne sont pas des abstractions, mais la forme même des choses. Pour l'idéalisme, la pensée commence par une décision personnelle de penser (idéalisme subjectif). Idée également que les idées mènent le monde (idéalisme absolu).

Inconscient: ensemble des désirs refoulés. Par extension, vie cachée de l'individu. Aujourd'hui, approche structurale de l'inconscient. Celui-ci n'est plus de l'ordre de la profondeur, mais du jeu des relations produit par la vie sociale et psychologique.

Lumières: mouvement philosophique du XVIIIᵉ siècle, caractérisé par la croyance au progrès humain, par la foi dans la raison, la défiance à l'égard de la religion et de la tradition. L'*Encyclopédie* de Diderot et d'Alembert est l'œuvre de la philosophie des Lumières.

Métaphysique: science qui s'efforce de remonter aux fondements de la réalité. Pour Aristote, science de l'être en tant qu'être. Par extension, fait d'aller au-delà, de dépasser la réalité. Expérience de l'altérité et du mystère de la vie.

Monade: unité, point mathématique. Différence. Chez Leibniz, individualité.

Tout est individuel, selon lui. Multiplicité de points de vue possibles. Les monades sont ces points de vue.

Mystique: provient de *mysterion* qui veut dire «silence» en grec. Le mystique est celui qui a une expérience personnelle et intérieure de Dieu, à travers la prière et la contemplation.

Nihilisme: en philosophie, doctrine d'après laquelle rien n'existe d'absolu; du latin *nihil*, «rien».

Obstacle épistémologique: l'épistémologie désigne la science qui étudie la science, autrement dit, l'histoire des sciences. Un obstacle épistémologique est une attitude mentale généralement liée à des préjugés ou des images qui empêche le développement de la science qui passe par le concept.

Phénoménologie: provient de «phénomène» qui veut dire ce qui apparaît, ce qui se manifeste. Le phénomène envoie à l'expérience vécue, à la pensée et d'une façon générale au sens qui apparaît dans le vécu et dans la pensée. La phénoménologie est ce qui s'efforce de décrire la vie du sens qui se manifeste dans la pensée et dans la vie.

Présence: concept fondamental de la phénoménologie. Désigne ce qui est au cœur de la connaissance, puisque la présence signifie le fait de vivre, d'avoir une âme, mais aussi le fait d'être présent à ce qui est en se représentant ce qui est.

Rupture épistémologique: fait de rompre avec les obstacles épistémologiques qui empêchent le progrès

Glossaire (suite)

de la connaissance. Toute apparition d'un concept face aux images provoque une rupture épistémologique.

Scepticisme : fait de douter. Par extension, doctrine qui doute des généralités et des abstractions et qui préfère suspendre son jugement que de véhiculer un pseudo-savoir.

Scolastique : provient du terme «école». Désigne la philosophie médiévale dominée par les enseignements d'Aristote et de saint Thomas d'Aquin. Par extension, attitude jugée stérile qui consiste à se perdre dans de vaines discussions et de vaines abstractions.

Structuralisme : provient de «structure» qui désigne en linguistique un système de relations. Par extension, jeu de relations dans les choses qui leur confère non seulement du sens, mais aussi un sens multiple.

Visage : le contraire de l'indifférence. Ce qui permet de passer de l'informe à la forme en toutes choses et en particulier dans l'humanité. Renvoie à une vision éthique de la vie où la relation précède toutes choses et l'emporte sur la violence.

Bibliographie

Pour commencer :

BRÉHIER (Émile), *Histoire de la philosophie*, PUF, 1985. Lire les tomes concernant le XVIIᵉ et le XVIIIᵉ siècle. Il y a tout ce qu'il faut savoir, expliqué par un vrai maître.

CASSIRER (Ernst), *Individu et cosmos à la Renaissance*, Éditions de Minuit, 1983. Essentiel. Pour comprendre comment l'humanisme a commencé.

CASSIRER (Ernst), *Le Problème de la connaissance. Tome II. Les Systèmes postkantiens*, Presses universitaires de Lille, 1983. Pour tout comprendre sur Fichte, Schelling, Hegel. Du grand Cassirer. Difficile cependant.

CASSIRER (Ernst), *La Philosophie des Lumières*, Fayard, 1986. Un grand classique. Pour comprendre ce qu'a vraiment été l'esprit des Lumières.

CHÂTELET (François), *Histoire de la Philosophie*, Hachette, 1973. Lire absolument les tomes consacrés aux XIXᵉ et XXᵉ siècles. On y trouve des exposés très clairs faits par les meilleurs spécialistes qui aident à comprendre notre époque.

DESCAMPS (Christian), *Les Idées philosophiques contemporaines en France*, Bordas, 1986. Petit ouvrage clair et efficace. Bonne mise au point.

QUEL POINT FIXE ? | DU SUJET AU POINT DE VUE | VIVE LA LIBERTÉ

DESCOMBES (Vincent), *Le Même et l'Autre*, Minuit, 1979.
Un excellent résumé de la situation de la philosophie de ces trente dernières années.

FERRY (Luc), *Homo estheticus*, Grasset, 1990.
Vision claire des commencements de la modernité.

ROMAN (Joël), *Chronique des idées contemporaines*, Bréal, 1995.
Pour tout savoir sur les derniers débats à la mode. Stimulant et bien fait.

RUSS (Jacqueline), *La Marche des idées contemporaines,* Armand Colin, 1994.
Un ensemble de textes remarquablement présentés qui permet de faire le tour des grandes problématiques contemporaines.

Signalons enfin :

FOUCAULT (Michel), *Les Mots et les Choses*, Gallimard, 1986.
Une archéologie de la modernité. Inclassable. Brillantissime.

GUSDORF (Georges), *Histoire de l'herméneutique*, Payot, 1988.
Depuis plusieurs années, avec une immense érudition, G. Gusdorf refait tout le trajet de la fondation de la science moderne depuis Galilée. Un immense et précieux travail.
Lire en particulier tout ce qui concerne le romantisme. Passionnant.

Quelques textes :

ARENDT (Hannah), *La Condition de l'homme moderne*, Calmann-Lévy, 1973.
Une analyse en profondeur de la condition des Modernes et de l'homme en général. Essentiel.

BACHELARD (Gaston), *La Formation de l'esprit scientifique*, Vrin, 1972.
Par le fondateur de l'histoire moderne des sciences qui sait faire rêver à propos de la science, tant il en parle bien.

BERGSON (Henri), *L'Évolution créatrice*, PUF, 1983.
« *Bergson a posé tous les problèmes importants de la connaissance du XXᵉ siècle* » (Michel Serres).

DESCARTES (René), *Discours de la méthode*, Nathan, 1973.
Descartes ? Le fondateur.

FREUD (Sigmund), *Essais de psychanalyse appliquée*, Gallimard, 1971.
Il y a avant et après Freud.

HEGEL (Georg Wilhelm Friedrich), *Philosophie de l'histoire,* Vrin, 1987.
Tout simplement prophétique.

HEIDEGGER (Martin), *Introduction à la métaphysique*, Gallimard, 1967.
Avec Heidegger, on apprend à méditer et ce que méditer veut dire.

HOBBES (Thomas), *Le Léviathan*, Sirey, 1971.
Essentiel également pour comprendre la modernité politique.

Bibliographie (suite)

HUSSERL (Edmund), *La Crise des sciences européennes*, Gallimard, 1976.
D'une exceptionnelle profondeur.

KANT (Emmanuel), *Philosophie de l'histoire*, Garnier-Flammarion, 1991.
Kant ou le grand homme des Lumières et des droits de l'homme.

LEIBNIZ (Wilhelm), *La Monadologie*, Garnier-Flammarion, 1996.
Leibniz? L'une des plus belles intelligences que l'humanité ait jamais produite, selon Bertrand Russell.
Et Russell a bien raison.

LEVINAS (Emmanuel), *Totalité et Infini*, La Haye, Nijhof, 1985.
Le grand penseur moderne de l'éthique.

MACHIAVEL (Nicolas), *Le Prince*, « Folio », Gallimard, 1980.
Pour comprendre la politique moderne. Essentiel.

MARX (Karl), *Manuscrits de 1844*, Garnier-Flammarion, 1996
Ce n'est pas une analyse de l'argent, mais l'analyse tout court de l'argent.

NIETZSCHE (Friedrich), *Le Gai Savoir*, Gallimard, 1975.
Pour revenir à la pensée. La vraie.

PASCAL (Blaise), *Pensées*, Seuil, 1973.
Cet effrayant génie, comme dit Voltaire. Pas si effrayant que cela au fond. Simplement génial.

ROUSSEAU (Jean-Jacques), *Le Contrat social*, Garnier-Flammarion, 1966.
Et le souffle de la liberté vint.

SPINOZA (Baruch), l'*Éthique*, Garnier-Flammarion, 1973.
Spinoza ou la sagesse. Le grand sage, le vrai sage de la modernité.

WITTGENSTEIN (Ludwig Josef), *Tractatus logico-philosophicus*, Gallimard, 1988.
Fascinant.

Quelques commentateurs :

ALQUIÉ (Ferdinand), *La Critique kantienne de la métaphysique*, PUF, 1968.
Il n'y a pas mieux si l'on veut pouvoir comprendre la révolution kantienne.

Gilles Deleuze est sans aucun doute celui qui a le mieux senti et compris ce que la modernité veut dire. Aussi nous renvoyons le lecteur à ses remarquables commentaires de Kant (PUF), de Bergson (PUF), de Proust (PUF), de Spinoza (Vrin) et de Nietzsche (PUF).

GUÉNANCIA (Pierre), *Descartes*, Bordas, 1986.
L'une des meilleures introductions à Descartes.

index
Le numéro de renvoi correspond à la double page.

aliénation 22, 42
amour 36, 38
argent 28, 34

baroque 14

chose en soi 30
conscience 10, 38
contradiction 30
contrat social 22
création 4, 46

Dieu 10, 12, 14, 16, 24, 32, 54

épistémologie 48
État 20, 22
état de nature 20, 22
Éthique 12
être 10, 12, 52
existence 16, 28, 32

faiblesse 36
force 36

haine 36
histoire 18, 26, 28, 40, 48
homme 6, 12, 20, 22, 24, 26, 32, 40, 54

inconscient 30, 38
indifférence 54
individu 14, 32

langage 44, 46, 50
liberté 6, 22, 24
Lumières 40

modernité 4, 56

moi 38
monade 14
monde 6, 8
morale 18, 24, 36, 38, 54
mystique 44

narcissisme 38
néant 16

perspective 8, 14
phénomène 30
poétique 52
point fixe 10, 12
politique 18
présence 42, 52
progrès 40
providence 12

raison 6, 40, 48
réalité 10
relativité 8
révolution 24

sagesse 30
science 24, 42, 44, 46, 48
sens 28
sexualité 38
signes 50
société 18, 20, 22, 26
soupçon 28, 34
souverain 20, 22
structuralisme 50

technique(s) 42, 46, 48, 52
temps 26, 46

vie 46, 52, 56
violence 18, 20

Dans la collection
Les Dicos Essentiels Milan

Le dico du multimédia
Le dico du citoyen
Le dico du français qui se cause
Le dico des sectes
Le dico de la philosophie
Le dico des religions
Le dico des sciences

Dans la collection
Les Essentiels Milan

1 Le cinéma
2 Les Français
3 Platon
4 Les métiers de la santé
5 L'ONU
6 La drogue
7 Le journalisme
8 La matière et la vie
9 Le sida, s'informer pour mieux lutter
10 L'action humanitaire
11 Le roman policier
12 Mini-guide du citoyen
13 Mini-guide du citoyen
14 Créer son association
15 La publicité
16 Les métiers du cinéma
17 Paris
18 L'économie de la France
19 La bioéthique
20 Du cubisme au surréalisme
21 Le cerveau
22 Le racisme
23 Le multimédia
24 Le rire
25 Les partis politiques en France
26 L'islam
27 Les métiers du marketing
28 Marcel Proust
29 La sexualité
30 Albert Camus
31 La photographie
32 Arthur Rimbaud
33 La radio
34 La psychanalyse
35 La préhistoire
36 Les droits des jeunes
37 Les bibliothèques
38 Le théâtre
39 L'immigration
40 La science-fiction
41 Les romantiques
42 Mini-guide de la justice
43 Réaliser un journal d'information
44 Cultures rock
45 La construction européenne
46 La philosophie
47 Les jeux Olympiques
48 François Mitterrand
49 Guide du collège
50 Guide du lycée
51 Les grandes écoles
52 La Chine aujourd'hui
53 Internet
54 La prostitution
55 Les sectes

56 Guide de la commune
57 Guide du département
58 Guide de la région
59 Le socialisme
60 Le jazz
61 La Yougoslavie, agonie d'un État
62 Le suicide
63 L'art contemporain
64 Les transports publics
65 Descartes
66 La bande dessinée
67 Les séries TV
68 Le nucléaire, progrès ou danger ?
69 Les francs-maçons
70 L'Afrique : un continent, des nations
71 L'argent
72 Les phénomènes paranormaux
73 L'extrême droite aujourd'hui
74 La liberté de la presse
75 Les philosophes anciens
76 Les philosophes modernes
77 Le bouddhisme
78 Guy de Maupassant
79 La cyberculture
80 Israël
81 La banque
82 La corrida
83 Guide de l'État
84 L'agriculture de la France
85 Argot, verlan et tchatches
86 La psychologie de l'enfant
87 Le vin
88 Les OVNI
89 Le roman américain
90 Le jeu politique
91 L'urbanisme
93 Alfred Hitchcock
94 Le chocolat
95 Guide de l'Assemblée nationale
96 À quoi servent les mathématiques ?
97 Le Front national
98 Les philosophes contemporains
99 Pour en finir avec le chômage
101 Le problème corse
102 La sociologie
103 Les terrorismes
104 Les philosophes du Moyen Âge
et de la Renaissance
105 Guide du Conseil économique et social
106 Les mafias
107 La Ve à la VIe République ?
108 Le crime
109 Les grandes religions dans le monde
110 L'eau en danger ?
112 Mai 68, la révolution fiction
113 Les enfants maltraités
114 L'euro
115 Les médecines parallèles,
un nouveau défi
116 La calligraphie
117 L'autre monde de la Coupe
118 Les grandes interrogations philosophiques
119 Le flamenco,
entre révolte et passion
120 Les cathares,
une église chrétienne au bûcher

121 Les protestants
122 Sciences cognitives et psychanalyse
123 L'enfant et ses peurs
124 La physique, évolution et enjeux
125 Freud et l'inconscient
126 La diététique, un art de vivre
127 Le droit, l'affaire de tous
128 Comprendre la peinture
129 L'euthanasie, mieux mourir ?
130 Les violences urbaines
131 La littérature française,
du Moyen Âge au XVIIIe siècle
132 Les rêves
133 Dopage et sport
134 Mondialisation et stratégies industrielles
135 Les animaux, psychologie et comportement
136 La littérature française, du XIXe au XXe siècle
137 Les prisons
138 L'orchestre
139 Le risque d'entreprendre
140 Ces maladies mentales nommées folie
141 Les gitans
142 Surfer sur Internet
143 Les grandes interrogations morales

Responsable éditorial
Bernard Garaude
Directeur de collection – Édition
Dominique Auzel
Secrétariat d'édition
Véronique Sucère, Anne Vila
Correction – révision
Jacques Devert
Iconographie
Sandrine Battle
Anne-Sophie Hedan
Illustrations
Jean-Claude Pertuzé
Conception graphique– Couverture
Bruno Douin
Maquette
octavo
Fabrication
Isabelle Gaudon
Sandrine Sauber-Bigot
Flashage
Exegraph

*Les erreurs ou omissions
involontaires qui auraient pu
subsister dans cet ouvrage malgré
les soins et les contrôles de l'équipe
de rédaction ne sauraient engager
la responsabilité de l'éditeur.*

© **1997 Éditions MILAN**
**300, rue Léon-Joulin,
31101 Toulouse Cedex 1 France**
Droits de traduction et de
reproduction réservés pour
tous les pays. Toute reproduction,
même partielle, de cet ouvrage
est interdite.
Une copie ou reproduction
par quelque procédé que ce soit,
photographie, microfilm,
bande magnétique, disque ou
autre, constitue une contrefaçon
passible des peines prévues par
la loi du 11 mars 1957 sur la
protection des droits d'auteur.
Loi 49.956 du 16.07.1949

Aubin Imprimeur, 86240 Ligugé. — D.L. 3e trimestre 2002. — Impr. P 63691